TEULU'R CWPWRDD CORNEL

ALWYN THOMAS

Y darluniau gan H. Douglas Williams

GOMER

Argraffiad cyntaf (Gwasg y Brython) — 1950
Ail argraffiad — 1954
Argraffiad newydd (Gwasg Gomer) — 1986

ISBN 0 86383 340 3

ⓗ y testun: Alwyn Thomas, 1950
ⓗ y darluniau: H. Douglas Williams, 1950

Dymuna'r cyhoeddwyr gydnabod cymorth a chyfarwyddyd Adrannau'r Cyngor Llyfrau Cymraeg a noddir gan Gyngor Celfyddydau Cymru.

Cedwir pob hawl. Ni ellir atgynhyrchu unrhyw ran o'r cyhoeddiad hwn na'i gadw mewn cyfundrefn adferadwy na'i drosglwyddo mewn unrhyw ddull na thrwy unrhyw gyfrwng electronig, electrostatig, tâp magnetig, mecanyddol, ffotogopïo, recordio, nac fel arall, heb ganiatâd ymlaen llaw gan y cyhoeddwyr, Gwasg Gomer, Llandysul.

Argraffwyd gan J. D. Lewis a'i Feibion Cyf., Llandysul.

CYNNWYS

Y STREIC

Roedd gan Carys gymaint o deganau fel na wyddai'n iawn beth i'w wneud â nhw. Yn wir, roedd yna ddoli neu injan neu rywbeth ym mhob man yn y tŷ. Ond pan ddaeth ei thad adref ryw noson ac eistedd ar ddarn o glai—a hynny yn ei siwt orau—wel, roedd yn rhaid gwneud rhywbeth.

'Bobol bach!' meddai, 'rhaid inni gael lle i gadw'r holl bethau yma, neu fydd yna ddim lle i neb eistedd yn y tŷ 'ma toc.'

'Rhaid wir,' atebodd ei mam. 'Ac fe wn i beth wnawn ni hefyd.'

A'r noson honno, cyn mynd i'r gwely, bu Carys a'i mam wrthi'n brysur yn clirio'r cwpwrdd cornel. Roedd yno bob math o bethau—edafedd a dillad, rubanau, a dwy hen het, a llawer o fân bethau. Ond fuon nhw ddim yn hir iawn cyn clirio popeth allan a gwneud y lle yn lân.

'O!' meddai Carys, 'wel, dyma le braf. Ac mae 'na ddigon o le i'r pethau i gyd hefyd. Fe rown ni'r injan a'r drol a'r ceffyl yn y gwaelod, a'r doliau a'r clai a phethau felly yn y top. O! ac wrth gwrs, rhaid inni wneud lle spesial i Tedi yn y gongl yma, yntê?'

Roedd Carys yn meddwl y byd o Tedi; ac wedi gosod y pethau yn y cwpwrdd, roeddyn nhw'n edrych yn dda hefyd. Roedd Carys yn meddwl ei bod hi wedi gweld Tedi'n gwenu wrth iddi ei osod yn ei le, ond doedd hi ddim yn siŵr iawn chwaith.

Ar ôl cael swper, agorodd Carys y drws i ddweud 'Nos dawch' wrthynt, a dyna lle'r oeddyn nhw i gyd yn eu lle. Tedi yn y gongl, a Dicw a Goli wrth ei ymyl, Neli Wen y ddoli fawr yn y gongl arall, a Marian a Gwenda a Jim yn un rhes daclus. Wedyn, roedd Wil Wiwer a Bwni Fach wrth ymyl y bocs clai ac, yn nes ymlaen, roedd llond bocs o filwyr plwm a phob un yn gorwedd yn ei le ac yn cysgu'n drwm. Caeodd Carys y drws arnynt ac, wrth wneud hynny, meddyliodd ei bod yn clywed Tedi'n dweud—'Diolch yn fawr iawn.' Ond doedd hi ddim yn hollol siŵr.

'Wel!' meddai ei mam ar ôl iddi gau'r drws. 'Maen nhw'n ddel iawn. Rŵan, mae eisiau gofalu eu bod nhw'n cael eu cadw fel yna bob nos, popeth yn ei le.'

'Debyg iawn,' atebodd Carys. 'Fe ofala i amdanyn nhw rŵan.'

Ac, yn wir, fe wnaeth hynny hefyd, am un wythnos! Ond yn ara deg, anghofiodd eu rhoi yn eu lle, a'u gadael ar hyd y tŷ, a gorfod eu rhoi yn y cwpwrdd ar frys mawr, cyn mynd i'w gwely.

Ryw noson, roedd Carys wedi blino'n arw, a chymerodd hi ddim trafferth i gadw'r pethau—dim ond lluchio popeth rywsut-rywsut ar gefnau ei gilydd a chau'r drws.

A'r noson honno roedd yna olwg rhyfedd ar y cwpwrdd cornel. Roedd Tedi ar ei wyneb yn y gwaelod a'r injan yn gorwedd ar draws ei droed.

'Wcl, dyma helynt,' meddai Tedi wrtho'i hunan. Ceisiodd droi ar ei ochr, ond roedd ei droed yn sownd, ac roedd yn dechrau brifo hefyd. Meddyliodd am funud beth oedd orau iddo'i wneud, a chofiodd am Dicw a Goli.

'Helô!' gwaeddodd.

Ond doedd 'na ddim ateb.

'Helô!' gwaeddodd wedyn. A daliodd i wrando. Ac ymhen tipyn meddyliodd ei fod yn clywed sŵn rhywun yn crio wrth ei ben. Edrychodd i fyny . . .

'Chdi sy 'na, Dicw?' gofynnodd.

'O, ie,' meddai Dicw.

'Pam wyt ti'n crio?' gofynnodd Tedi wedyn.

'O! diar mi, y bocs clai 'ma sy'n pwyso ar fy mrest i,' atebodd Dicw. 'Rydw i'n methu'n lân â chael fy ngwynt. Tyrd yma wir, Tedi.'

'Bobol bach!' meddai Tedi wrtho'i hunan. 'Mae'n rhaid imi ddod yn rhydd.'

Rhoddodd blwc mawr ar ei goes a syrthiodd yr injan i ffwrdd. Ond, er bod ei droed yn rhydd, allai Tedi ddim sefyll am funud chwaith. Ond ar ôl iddo ei rhwbio am dipyn, gallodd godi, a gwaeddodd, 'Dicw! Rydw i'n dod! Fydda i ddim dau funud rŵan.'

Yna gosododd ddau focs ar ben ei gilydd, ac ar ôl dringo i'w pennau, gallodd ei godi ei hunan i fyny i'r silff uchaf. A dyna le oedd yno! Roedd Dicw ar wastad ei gefn ar lawr, a'r bocs clai ar ei frest! Ac roedd Goli druan ar ei wyneb, o dan goesau Dicw.

''Rhoswch chi!' meddai Tedi a rhoddodd ei ddwy fraich am y bocs clai a gwthiodd ef i ffwrdd.

'Dyna chi!' meddai a gafaelodd yn llaw Dicw a'i godi ar ei draed. Yna cododd Goli a sefyll yn simsan.

'Diolch byth!' meddai Goli. 'Roeddwn i'n meddwl na chawn i byth ddod yn rhydd.'

Ar hyn, clywsant rywun yn gweiddi 'Help! Help!' o'r gongl bellaf, a dyna lle'r oedd Neli Wen yn ceisio tynnu Marian a Gwenda a Bwni Fach yn rhydd. Roeddynt ar draws ei gilydd ar lawr, a phentwr o lyfrau a llechen ar eu pennau. Rhedodd Tedi yno, a buan iawn y cafodd hwy'n rhydd. A dyna falch roeddyn nhw!

'Diolch byth!' meddai Neli Wen. 'Dyma ni i gyd yn iawn o'r diwedd . . .'

'Ond ble mae Wil Wiwer a Jim Bach?' gofynnodd Bwni.

Tynnodd Tedi'r llyfrau ac edrych odanynt, ond doedd neb yno.

'O!' llefodd Bwni. 'Beth wnawn ni? Mae Wil Wiwer a Jim Bach ar goll!'

Ac yn wir, felly'r oedd hi. Er iddyn nhw weiddi a gweiddi, doedd 'na neb yn ateb. Aethant i chwilio'r silff uchaf, ac yna clywsant sŵn mawr ar y silff isaf. Aeth Tedi a Dicw i lawr i edrych beth oedd yn bod, a phwy oedd yno ond y milwyr plwm yn martsio a'r capten yn gweiddi—'Mae yna un dyn bach ar ôl! Does yma ddim ond un deg naw ohonon ni. Ble mae'r dyn bach? Ble mae o?'

'Beth sydd wedi digwydd?' gofynnodd Tedi.

Daeth y capten ymlaen yn syth. 'Cawsom ein taflu i mewn rywsut-rywsut ar y silff isaf yma,' meddai. 'Roedd rhai ohonon ni o dan y drol, a rhai o dan y ceffyl, ond rydw i wedi cael hyd iddyn nhw i gyd ond un. Mae 'na un dyn bach ar ôl. Beth wnawn ni?'

'Hm!' meddai Tedi. 'Mae Wil Wiwer a Jim Bach ar goll hefyd. Rydyn ni wedi chwilio'r silff uchaf i gyd a does 'na neb yno. Rhaid eu bod tu allan yn rhywle!'

'Os felly, mae'n rhaid inni fynd allan i chwilio amdanyn nhw,' meddai'r capten. 'Filwyr! pawb at y drws yma. Rŵan, gyda'n gilydd!'

Gwthiodd y milwyr yn erbyn y drws, a chan fod Tedi a Dicw yn eu helpu, agorodd ar unwaith. Camodd Tedi a'r capten allan, a'r lleill ar eu hôl, ac ar hynny clywsant sŵn traed bach yn martsio ar hyd llawr y gegin—Tap-tap-tap-tap—a phwy oedd yno ond y milwr oedd ar goll.

'Ha!' meddai'r capten. 'Beth ydi hyn?'

'Wel, syr,' atebodd y milwr, 'pan oedd Carys yn rhoi'r pethau yn y cwpwrdd, cefais i fy ngadael ar ôl o dan y bwrdd. Daeth yn nos dywyll, a chlywais rywun yn crio o dan y gadair acw, a phwy oedd yno ond Wil Wiwer a Jim Bach . . .'

'Beth? Ydyn nhw'n saff?' meddai Neli Wen.

'Ydyn,' meddai'r milwr. 'Dywedais i wrthyn nhw fod popeth yn iawn, ac y buaswn i'n sefyll yno gyda nhw i wylio. Ac yn wir i chi, ar ôl imi fynd yno, cysgodd y ddau'n sownd. Arhosais innau i weld nad oedd dim yn digwydd iddyn nhw.'

'Capten!' meddai Tedi, 'rhaid inni gofio rhoi

medal i'r milwr yma am fod mor ddewr. Ond i ddechrau, rhaid inni gael Wil Wiwer a Jim Bach i mewn.'

Dyma Tedi yn cario Wil Wiwer, a Neli Wen yn cario Jim Bach, a'u rhoi yn eu gwely yng nghongl bellaf y silff uchaf. Ac ar ôl cau'r drws, galwodd Tedi bawb at ei gilydd.

'Wel, gyfeillion!' dechreuodd, 'rhaid inni gael gwell trefn ar bethau yma. Thâl hi ddim inni gael ein lluchio o gwmpas fel hyn.'

'Clywch! Clywch!' meddai'r lleill.

'Y peth cyntaf i'w wneud,' meddai Tedi, 'ydi cael pwyllgor ac uno â'n gilydd . . .'

'Be ydi pwyllgor?' gofynnodd Bwni.

Edrychodd Tedi arni am funud, ond pan welodd ei bod yn gofyn am nad oedd yn gwybod, o ddifrif, dywedodd—

'Pwyllgor ydi pobl yn dod at ei gilydd i siarad er mwyn trefnu pethau. Bydd yn rhaid cael cadeirydd, wrth gwrs . . . a . . .'

'Rydw i'n cynnig Tedi yn gadeirydd y pwyllgor,' meddai Dicw.

Ac felly fu. Eisteddodd Tedi ar ben y bocs clai.

'Ydych chi'n deall?' meddai. 'Mae pawb yn aelodau o'r pwyllgor yma, ac mae gan bob un hawl i ddweud beth sydd arno eisiau'i ddweud yma . . .'

Dyma Tedi yn cario Wil Wiwer,
a Neli Wen yn cario Jim Bach.

'Ydw i yn aelod o'r pwyllgor?' gofynnodd Bwni Fach.

'Debyg iawn,' atebodd Tedi, 'mae pawb yn aelod . . .'

'Wel,' meddai Bwni, 'mi welais i ddau bryf copyn o dan y soffa ddoe.'

Chwarddodd pawb yn uchel.

'Wyt ti'n gweld, Bwni,' eglurodd Tedi, 'pan oeddwn i'n dweud fod gan bob un hawl i ddweud beth sydd arno eisiau'i ddweud, meddwl yr oeddwn i fod gan bob un hawl i siarad ar y mater, nid dweud rhywbeth-rhywbeth fel yna.'

'Ond be ydi'r mater, ynte?' Edrychodd Bwni yn bur syn.

'Dydyn ni ddim wedi dweud eto,' atebodd Tedi. 'Ond bydd di'n dawel am dipyn, ac fe ddoi di i ddeall.'

Ac yna, gan edrych yn bwysig iawn, dywedodd, 'Y mater cyntaf i'r pwyllgor ydi pasio i roi medal i'r milwr yma am fod mor ddewr.'

'Ie, ie!' meddai pawb. 'Ymlaen â fo! Ymlaen â fo!'

'Wel!' meddai Tedi, 'mi welaf eich bod i gyd o blaid, felly fe roddwn ni un iddo fo rŵan.'

Martsiodd y milwyr i gyd ymlaen a sefyll yn rhes union o flaen y bocs clai. Wedyn rhoddodd y capten orchymyn—

'Milwr rhif dau ddeg—dau gam ymlaen!'

Camodd y milwr ymlaen yn smart a rhoi saliwt i Tedi.

'Helô!' meddai Tedi, 'mae blaen dy wn di wedi torri . . .'

'Ydi, syr,' atebodd yntau. 'Rhoddodd Carys ei throed arno wrth gadw'r pethau heno . . .'

'Dyna hi eto!' Roedd Tedi'n edrych yn ddig iawn. 'Sathru a thorri a lluchio! Roedd yn hen bryd inni gael y pwyllgor yma.'

Yna, gan edrych yn glên ar y milwr dywedodd—'Ond hidia di befo! Os nad oes gen ti flaen ar dy wn, fe fydd gen ti fedal ar dy frest o hyn ymlaen.'

A rhoddodd fedal loyw ar frest y milwr ac ysgwyd llaw ag ef.

Camodd y capten ymlaen. 'Milwr rhif dau ddeg,' gwaeddodd, 'dau gam yn ôl.'

Ufuddhaodd milwr y fedal. Trawodd milwr arall dri chnoc ar y drwm ac eisteddodd pawb i lawr.

'Y peth nesaf,' meddai Tedi, gan godi ar ei draed ac edrych o'i gwmpas, 'y peth nesaf ydi pasio sut i gael gwell trefn ar bethau. Fel y gwelsom, mae hi wedi mynd yn bur ddrwg, ac mae'n hen bryd inni wneud rhywbeth. Rŵan, oes gan rywun rywbeth i'w ddweud—hynny yw, rhywbeth i'w ddweud ar y mater?' ychwanegodd, gan edrych ar Bwni Fach.

'Mr. Llywydd!' Cododd Goli ar ei draed. 'Rydw innau'n teimlo fod yn rhaid inni wneud rhywbeth i gael gwell trefn hefyd. Ac rydw i'n cynnig fod y rhai mwyaf ohonom yn gofalu am y rhai lleiaf, a gweld nad ydyn nhw'n cael cam.'

'Ond Mr. Llywydd . . .!' Torrodd Dicw ar ei draws.

'Aros di, Dicw,' meddai Tedi, 'mae Goli ar ei draed rŵan. Fe gei di siarad ar ôl iddo orffen.'

'Fel roeddwn i'n dweud,' aeth Goli yn ei flaen, 'ein lle ni, y rhai mwyaf, yw edrych ar ôl y rhai bach. Ac rydw i'n cynnig ein bod ni'n gwneud.'

Cododd Tedi ar ei draed. 'Diolch iti, Goli. A rŵan, Dicw, fe gei dithau siarad.'

'Mr. Llywydd!' meddai Dicw. 'Hyn sydd gen i i'w ddweud. Rydw i'n cyd-weld yn hollol â Goli fod rhaid inni edrych ar ôl y rhai bach, ond beth amdanon ni, y rhai mawr? Heno, er enghraifft, roeddwn i a Goli yn sownd, a doedd dim posib inni wneud dim i helpu ein hunain, heb sôn am neb arall. Rhaid inni fod yn siŵr na ddigwydd peth fel yna eto. Ac rydw i'n cynnig ein bod ni, y rhai mawr, yn aros gyda'n gilydd bob amser, er mwyn bod yn siŵr o ddod yn rhydd os digwydd rhywbeth. A'n bod ni . . . wel . . . yn . . . wel, yn aros gyda'n gilydd.'

Eisteddodd Dicw i lawr, wedi colli ei wynt yn lân.

'Ond Mr. Llywydd!' Cododd Neli Wen ar ei thraed. 'Mae'r hyn mae Dicw'n 'i ddweud yn amhosib. Fedrwn ni ddim bod gyda'n gilydd bob amser. A tasen ni gyda'n gilydd, a bod Carys yn rhoi tocyn o lyfrau ar ein pennau ni, beth wedyn? Y cynllun gorau fyddai i un ohonon ni guddio pan ddaw amser gwely, a dod i ollwng y lleill yn rhydd os byddan nhw'n sownd.'

'Clywch! Clywch!' meddai Gwenda a Dicw.

'Ond,' meddai Marian, yn codi ar ei thraed, 'beth pe bai Carys yn cael gafael ar yr un fydd yn cuddio,

HDW.

neu beth pe bai hi'n cau drws y cwpwrdd? Sut y buasai hi wedyn?'

Cododd Tedi ar ei draed ac, ar ôl rhoi pesychiad pwysig, meddai,

'Mae yna lawer yn yr hyn rydych chi i gyd wedi'i ddweud. Ond mae gen i ddau gynigiad! Cynigiad Dicw, sef ein bod ni, y rhai mawr, i aros gyda'n gilydd, a chynigiad Neli Wen, sef bod un ohonom i guddio bob nos. Fe rof gynigiad Neli Wen i fyny yn gyntaf. Rŵan 'te, pawb sydd o blaid fod un ohonom i guddio . . .'

Ond cyn iddo fynd yn ei flaen, cododd Bwni Fach ar ei thraed.

'Mr. Llywydd!' meddai, 'mae gen i gynigiad arall.'

'Ôl-reit!' Edrychodd Tedi'n bur syn arni. 'Wel, beth yw dy gynigiad di, Bwni Fach?'

'Rydw i'n cynnig ein bod yn mynd ar streic!'

'Beth!' Am funud ni ddywedodd neb air arall. Ond toc gallodd Tedi siarad.

'Mynd ar streic?' meddai. 'Ond sut y gallwn ni fynd ar streic?'

'Wel,' atebodd Bwni Fach, 'gall y milwyr wrthod sefyll i fyny yn syth. Gall Neli Wen wrthod agor a chau ei llygaid. Gallaf fi a Dicw wrthod gwneud sŵn, a gelli dithau, Tedi, wrthod canu pan fydd Carys yn dy wasgu.'

Ymhell cyn iddi ddarfod egluro, roedd yn amlwg iawn fod pawb yn cyd-weld â hi ac ar ôl iddi eistedd i lawr cododd Dicw ar ei draed a dweud,

'Rydw i'n tynnu fy nghynigiad yn ôl, Mr. Llywydd.'

'A finnau hefyd,' meddai Neli Wen. 'Mae cynigiad Bwni Fach yn well o lawer.'

A dyma nhw'n pasio'n unfrydol i fynd ar streic. Wedyn, dywedodd Tedi fod y pwyllgor ar ben, ac aeth pawb i gysgu.

Bore trannoeth, pan aeth Carys i'r cwpwrdd cornel, roedd pawb yn dawel. Cymerodd hithau'r milwyr plwm allan a'u gosod ar y bwrdd. Ond, er ei syndod, syrthiodd pob un ar wastad ei gefn, ac er iddi geisio ei gorau, methodd â'u gwneud i sefyll yn syth.

'Twt!' meddai wrthi ei hunan. 'Fe chwaraeaf gyda'r doliau.'

Ond roedd Neli Wen yn gwrthod mynd i gysgu wrth i Carys ei rhoi i lawr, ac yn gwrthod deffro pan godai hi i fyny. Roedd Bwni a Dicw yn hollol dawel a gwrthodai hyd yn oed Tedi ganu pan oedd Carys yn ei wasgu.

'O diar!' meddai hithau. 'Beth sy'n bod heddiw, tybed? Maen nhw i gyd yn gwrthod gwneud eu gwaith.'

Daeth ei mam i mewn o rywle a'i chlywed hi'n siarad.

'Wel,' meddai ei mam, 'mi ddeudais i mai fel yna y buasai hi! Wnân nhŵ ddim gweithio heb i ti edrych ar eu holau yn iawn. Rhaid iti eu cadw'n daclus yn eu lle bob nos ac nid eu lluchio nhw rywsut-rywsut.'

Roedd Carys yn edrych yn bur annifyr erbyn hyn.

'Wnân nhw byth weithio eto?' gofynnodd.

'Wn i ddim, wir,' atebodd ei mam, 'ond pe bawn i yn dy le di, fe fuaswn i'n cymryd gofal mawr ohonyn nhw heddiw, a gofalu eu cadw yn daclus heno. A hwyrach y byddan nhw'n iawn erbyn fory.'

Ac felly y bu hi hefyd. Bu Carys wrthi drwy'r dydd yn glanhau ac yn tacluso. A phan ddaeth amser gwely roedd popeth yn ei le.

'Dyna ni!' meddai ei mam. 'Dw i'n siŵr y byddan nhw'n iawn fory.'

A phan oedd yn cau drws y cwpwrdd meddyliodd Carys ei bod yn gweld Tedi yn rhoi winc fawr ar y capten, ac yn gwenu ynddo'i hunan . . . Ond doedd hi ddim yn siŵr iawn . . .

Y PARTI

Ambell noson, digwyddai pethau rhyfedd iawn yn y cwpwrdd cornel. Yn ystod y dydd Carys oedd y feistres, a byddai'n rhaid i bawb wneud fel yr oedd hi'n dweud. Ond yn y nos—wel, y teganau eu hunain oedd yn cael gwneud fel y mynnent. Yn ystod y dydd, wrth gwrs, doedd yr un ohonyn nhw'n siarad yr un gair, ond ar ôl i Carys fynd i'w gwely, roedd pawb yn siarad pymtheg yn y dwsin, ac ambell dro, roeddyn nhw'n cynnal pwyllgor.

Ar y silff isaf y bydden nhw'n cynnal y pwyllgor bob amser. Ydych chi'n gweld, roedd yno silff arall—y silff uchaf. Yno roedd y doliau a'r clai a'r peli'n byw, ond yn y gwaelod roedd yr injan a'r ceffyl a'r drol a'r milwyr plwm a phethau trymion felly. A chan ei bod hi'n haws i'r doliau ddod i lawr nag i'r ceffyl a'r injan fynd i fyny, pasiwyd i gael y pwyllgor bob amser yn y gwaelod. Jim fyddai'n mynd o gwmpas i ddweud pan fyddai pwyllgor i fod, ac roedd o'n teimlo'n bwysig iawn wrth wneud hynny hefyd. Cafodd ei ddewis am mai ganddo ef yn unig yr oedd siwt postman.

Wel i chi, ryw noson ar ôl i Carys fynd i'w gwely, daeth y doliau i lawr o'r silff uchaf a chymerodd Tedi, y llywydd, ei le ar y bocs a phawb yn eistedd o'i gwmpas. Toc, cododd ar ei draed, a dweud—

'Wel! rydw i wedi galw'r pwyllgor yma i weld a oes yna rywun ohonoch chi wedi clywed rhyw newydd arbennig heddiw.'

'Be ydi rhyw newydd arbennig?' gofynnodd Bwni Fach.

'Newydd arbennig,' eglurodd Tedi, 'ydi rhyw newydd rhyfedd. Newydd spesial. Rhywbeth nad ydi o ddim yn digwydd bob dydd . . .'

'O!' meddai Bwni. 'Mi glywais i newydd arbennig iawn heddiw . . .'

Edrychodd pawb yn syn iawn. Beth tybed oedd Bwni wedi'i glywed?

'Da iawn,' meddai Tedi. 'Wel, beth oedd y newydd?'

Cododd Bwni Fach ar ei thraed yn bwysig iawn. 'Clywed wnes i,' meddai, 'fod ci tŷ nesa wedi dwyn darn mawr o gig o'r pantri heddiw . . .'

Dechreuodd pawb chwerthin yn uchel, ond curodd Tedi'r bwrdd . . .

'Twt!' meddai, 'nid peth fel yna roeddwn i'n feddwl ond . . .'

'Ond Tedi!' Cododd Bwni Fach ar ei thraed wedyn. 'Mae hwnna *yn* newydd arbennig. Dydi ci tŷ nesa ddim yn dwyn darn mawr o gig o'r pantri bob dydd, yn nac ydi?'

'Nac ydi, nac ydi!' atebodd Tedi, 'ond meddwl am rywbeth arall roeddwn i. Rŵan 'te! Oes rhywun wedi clywed rhywbeth?'

Ond ddywedodd neb yr un gair. Wn i ddim ai ofn dweud yr oeddynt, rhag ofn i'r lleill chwerthin, ynte doedd ganddyn nhw ddim byd i'w ddweud. Ac wrth eu gweld nhw mor ddistaw, cododd Tedi ar ei draed.

'Mi glywais i newydd arbennig iawn,' meddai. 'A dyna pam y gelwais i'r pwyllgor yma. Beth 'ddyliech chi? Mae Carys yn cael ei phen-blwydd yn bedair oed fory.'

'Wel, wir,' meddai Neli Wen, 'mae hi'n mynd yn hogan fawr, on'd ydi hi?'

'On'd ydi hi, deudwch!' atebodd Dicw.

'Twt, twt!' torrodd Tedi ar eu traws. 'Nid wedi dod yma i fân siarad fel yna rydyn ni, ond wedi dod yma i geisio gwybod beth i'w wneud ynglŷn â'r pen-blwydd, yntê?'

Am ryw funud neu ddau ddwedodd neb ddim byd. Ond toc, cododd Neli Wen ar ei thraed. 'Mi fuon ni'n ceisio meddwl beth i'w wneud y llynedd, on'd do?' meddai hi. 'Ond y drwg oedd, doedd ganddon ni ddim byd i'w roi yn bresant iddi hi, nac oedd?'

'Ie, ie!' meddai Dicw. 'Felly'r oedd hi hefyd, yn hollol.'

'Ond 'rhoswch chi!' Cododd Goli ar ei draed. 'Mi gynigiais i, y llynedd, ein bod ni'n gwneud presant iddi hi ein hunain gyda'r clai yma, ac yn ei roi o iddi hi. A Mr. Llywydd, mi gynigia i'r un peth eto . . .'

Erbyn hyn, roedd Tedi wedi codi ar ei draed a'i wyneb yn goch fel tân.

'Twt, twt, twt!' meddai. 'Rydych chi i gyd, neu y rhan fwyaf ohonoch chi, beth bynnag, yn gwybod am beth rydw i'n sôn. A dyma chi'n cymryd arnoch na wyddoch chi ddim. Nid beth gawn ni'n bresant i Carys sydd yn fy mhoeni i, ond faint ohonon ni fydd yn gorfod mynd i ffwrdd ar ôl fory?'

'Bobol bach!' Neidiodd Bwni Fach ar ei thraed.

'Dydw *i* ddim am fynd i ffwrdd, beth bynnag. Rydw i'n leicio fy lle yn iawn yma.'

'A finnau hefyd,' meddai Jim.

Roedd yno amryw o'r lleill am ddweud yr un peth, ond torrodd Tedi ar eu traws.

'Rydych chi'n ifanc,' meddai, 'a wyddoch chi ddim sut mae pethau. Ond mi ddweda i wrthych chi. Dydi o ddim ond yn deg ichi gael gwybod. Pan fydd Carys yn cael ei phen-blwydd, mi fydd yma barti mawr a llawer iawn o blant bach yn dod yma i de. A dyma'r peth pwysig—*Mi fydd pob un ohonyn nhw'n dod â phresant iddi hi.*'

'Ond Tedi!' Methai Bwni Fach â deall pethau. 'Mae hynny'n bcth ncis iawn, on'd ydi?'

Edrychodd Tedi arni am funud heb ddweud dim byd.

'Wel, ydi,' meddai toc. 'Mae'n beth neis iawn iddi hi. Ond dydi o ddim yn beth mor neis i ni, Bwni.'

Roedd pawb wedi mynd yn bur dawel erbyn hyn, ac roedd hyd yn oed Bwni Fach a Jim wedi mynd i edrych yn sobor iawn.

'Ydych chi'n gweld,' ychwanegodd Tedi, 'fel hyn y mae hi. Ar ddydd ei phen-blwydd, mi gaiff Carys lawer o deganau newydd. Hefo'r rheiny y bydd hi'n chwarae wedyn, am ddyddiau lawer, heb hyd yn oed agor drws y cwpwrdd i ni. A pheth arall, mi fydd yn mynd â'r doliau newydd gyda hi i'r gwely. Fel y gwyddoch chi, mynd yn ein tro y byddwn ni, yntê?'

'Tro Marian a minnau yw mynd nos fory, beth bynnag,' meddai Neli Wen.

'Hm!' atebodd Tedi, 'mae arna i ofn mai yn y cwpwrdd y byddwch chi eich dwy, a rhyw ddoliau newydd fydd yn y gwely nos fory.'

'Ond dydi hynny ddim yn deg!' Neidiodd Marian ar ei thraed, wedi gwylltio'n arw. 'Rydyn ni bob amser yn arfer gwneud pethau'n deg yn y cwpwrdd yma, a dydw i ddim yn mynd i gymryd cam gan neb—doliau newydd neu beidio . . .'

'Aros di am funud rŵan, Marian.' Daliai Tedi'n dawel drwy'r cwbwl i gyd. 'Setlodd neb ddim byd wrth wylltio fel yna. Rydyn ni i gyd yn gwybod nad ydi o ddim yn deg, ond fel yna mae hi. Ond mae yna beth arall sy'n fwy annheg fyth. Rydw i wedi sylwi, ar ôl pob pen-blwydd, y bydd mam Carys yn dweud wrth hi—"Rŵan Carys, mae gen ti lot o bethau newydd neis. Rhaid iti roi rhai o'r hen bethau yna i blant bach tŷ nesa, mi fyddan nhw'n falch o'u cael. Ac mae'n bryd iti luchio rhai o'r hen ddoliau budur 'na i ffwrdd hefyd, neu fe fydd llond y tŷ yma ohonyn nhw!"'

Edrychodd Tedi'n ddigalon iawn, ac aeth yn ei flaen. 'A bob amser, rydw i wedi sylwi y bydd yna rai o'r teganau yma yn diflannu ar ôl hynny, a fydd neb yn eu gweld nhw wedyn. A rŵan, dyna sydd arna i ofn. Dyma hi'n cael ei phen-blwydd fory. Mae llawer ohonon ni'n hen a . . . wel . . . does ar neb ohonon ni eisiau mynd i ffwrdd, nac oes?'

'Nac oes, wir!' gwaeddodd pawb gyda'i gilydd.

'Wel,' meddai Tedi, 'mae'n rhaid inni wneud rhywbeth yn ei gylch, ynte.'

Am ychydig o funudau, doedd yno ddim sŵn o gwbwl, dim ond sŵn yr hen gloc mawr o'r tu allan i'r cwpwrdd yn mynd—tic-toc, tic-toc, tic-toc.

Ac yna, yn sydyn, dechreuodd pawb siarad ar unwaith, ar draws ei gilydd. Roedd yno sŵn tebyg i sŵn hen eithin crin yn llosgi, neu nythaid o wenyn ar ôl eu tarfu. Doedd dim posib gwybod beth oedd neb yn 'i ddweud, wrth gwrs, er eu bod yn gweiddi digon. Safai Dicw ar ei draed wrth y bocs a'i ddwylo i fyny yn yr awyr, daliai Goli ei afael yng nghôt Tedi, a cheisio dweud rhywbeth wrtho â'i holl egni. Roedd Neli Wen yn gweiddi dros bob man a Marian wedi crygu'n lân.

Gadawodd Tedi iddyn nhw am dipyn heb ddweud dim. Yna cododd ar ei draed, a thrawodd y bwrdd â'i ddwrn. 'Distawrwydd!' gwaeddodd. Am funud, wnaeth hyn ddim gwahaniaeth, ond yn ara deg distawodd y sŵn nes roedd pobman yn hollol dawel. 'Wn i ddim beth i'w ddweud,' meddai Tedi. 'Rydw i wedi dweud, dro ar ôl tro, na thâl hi ddim ichi weiddi ar draws eich gilydd fel yna. Rŵan 'te! Pawb yn ei dro. Dicw, roeddet ti'n awyddus iawn i gael dweud rhywbeth.'

Cododd Dicw ar ei draed. 'Fy nghynigiad i,' meddai, 'ydi ein bod ni'n cael gafael ar y teganau newydd yna a'u malu nhw i gyd.'

'Aros di, Dicw!' Roedd yn amlwg nad oedd Tedi'n leicio peth felly. 'Does yna ddim i'w gael wrth ffraeo a bod yn gas, Dicw. Gwell inni fod yn ffrindiau os oes bosib inni fod.'

'Mr. Llywydd!'—cododd Goli ar ei draed wedyn —'Mi gynigiais i, y llynedd, ein bod ni'n gwneud presant i Carys gyda'r clai yma. Ac rydw i'n cynnig hynny eto. Ydych chi ddim yn gweld? Os gwêl hi ein bod yn gymaint o ffrindiau hefo hi, wnaiff hi ddim ein hanfon i ffwrdd.'

Cododd Neli Wen i ofyn beth allasen nhw 'i wneud o'r clai, a phwy oedd yn mynd i'w wneud, a chododd Marian i ddweud mai hen beth budur iawn oedd clai. Ond yn y diwedd, pasiwyd i geisio gwneud rhywbeth.

Ar ôl iddynt agor y bocs clai, gwaeddodd Goli, 'Mae 'na bob math o liwiau yma—coch a glas a melyn a gwyrdd. Beth am inni wneud blodau clai iddi hi?'

Ac felly fu. Rhoddwyd y clai ar waelod y cwpwrdd ac aeth yr injan a'r drol drosto, yn ôl a blaen, ôl a blaen, lawer gwaith, nes gwneud y clai yn hollol fflat a thenau. Wedyn, daeth y milwyr plwm a'u cleddyfau yno, i'w dorri'n ddarnau bychain. Tedi a Goli a Neli Wen oedd yn gwneud y petalau, Dicw a Marian yn gwneud y dail, a Bwni Fach a Jim yn cario'r darnau iddynt. A wir, roeddyn nhw'n cael hwyl arni hefyd, ac erbyn y diwedd, roedd yno dorch o flodau clai, neis iawn, o bob lliw a llun.

'Wel, dyna ni!' meddai Tedi. 'Dyna ni wedi darfod y blodau. Ond mae yna un peth eto sydd raid inni'i wneud.'

'A beth ydi hwnnw?' gofynnodd Dicw.

'Rhywbeth i ddweud mai oddi wrthon ni mae'r presant,' atebodd Tedi.

'O! mae hynny'n ddigon hawdd,' meddai Bwni Fach. 'Sgwennu ar ddarn o bapur sydd eisiau a dweud mai ni sydd yn ei roi . . .'

'Ie, ie!' meddai Tedi wedyn, 'rydyn ni i gyd yn gwybod mai sgwennu sydd eisiau ond does yma ddim pensel nac inc na phapur yn y cwpwrdd.'

A wir roeddyn nhw'n cael hwyl arni hefyd.

'O!' Edrychodd Bwni Fach yn syn iawn. 'Doeddwn i ddim yn gwybod hynny.'

'Mae yna botel inc ar ffenestr y gegin,' meddai Goli. 'Mi a' i yno i'w nôl hi . . .'

'Ond beth am bapur?' gofynnodd Neli Wen.

'A pheth arall,' meddai Tedi, 'tasen ni'n cael papur, mae'n bur siŵr na fedren ni ddim agor corcyn y botel inc.'

Yn wir, roeddyn nhw mewn tipyn o helynt, a neb yn gwybod beth i'w wneud. Ond, yn sydyn, daeth capten y milwyr plwm ymlaen.

'Mr. Llywydd!' meddai, a rhoi saliwt i Tedi. 'Mae gen i gynllun. Mae yma ddigon o glai ar ôl. Beth am inni wneud darn sgwâr ohono, ac ysgrifennu arno beth bynnag sydd eisiau?'

Ac wrth gwrs, cytunai pawb fod y syniad yn un da iawn. Buont wrthi am dipyn yn gwneud y clai yn barod. Wedyn, ysgrifennodd y capten ar ei draws—'I Carys ar ei phen-blwydd yn bedair oed. Oddi wrth bawb yn y cwpwrdd cornel.'

A dyna hwyl a gawsant wrth agor drws y cwpwrdd a mynd â'r presant allan.

'Ble rown ni o, Tedi?' gofynnodd Dicw.

'Gwell inni ei roi ar lawr, wrth y tân,' meddai Bwni Fach. 'Wedyn bydd Carys yn siŵr o'i weld.'

'Pwy fyth fuasai'n disgwyl cael presant penblwydd ar lawr?' meddai Neli Wen. 'Rhaid inni ei roi mewn lle parchus. Beth pe buasai rhywun yn dod a'i sathru? Ar lawr, yn wir!'

'Beth am ei roi ar y silff ben tân?' gofynnodd Goli. 'Buasai mewn lle amlwg a diogel iawn yno.'

'Buasai hynny'n iawn, Goli,' atebodd Tedi, 'ond y drwg ydi, pwy ohonon ni all ddringo i ben y silff ben tân? Na, gwell inni roi'r presant ar y bwrdd acw. Yr un bychan sydd wrth ymyl drws y cwpwrdd 'ma. Mae o braidd yn drwm inni ei gario ymhell, a does arnon ni ddim eisiau ei ddifetha, nac oes?'

Cytunwyd i'w roi ar ben y bwrdd. Ar ôl tipyn o helynt, cododd Dicw a Goli'r presant i ben y bwrdd, a gosododd Tedi bopeth yn ofalus iawn yn ei le.

'Dyna fe!' meddai. 'Pan ddaw Carys i lawr bore fory, fe fydd yn siŵr o'i weld ar unwaith.'

'Ac mi gewch chi weld fel y bydd hi'n brysio i agor y drws inni, ac i roi gwadd inni i'r parti!' meddai Goli. 'Mae hi'n siŵr o leicio'r presant. Ac mae'r peth yn siŵr o weithio, gewch chi weld.'

Aeth pawb yn ôl i'r cwpwrdd yn bur falch ohonynt eu hunain, a rhoddodd Tedi glep ar y drws. Wedyn, aethant i gysgu gan feddwl fod popeth yn iawn. Ond druan bach ohonyn nhw. Wydden nhw ddim fod y presant wedi syrthio oddi

ar y bwrdd wrth i Tedi roi clep ar y drws. Ac yn lle bod ar ben y bwrdd yn y golwg, roedd y blodau clai erbyn hynny o dan y bwrdd, o'r golwg yn llwyr, fel na allai neb eu gweld.

Wel i chi, roedd pawb wedi deffro'n fore, fore, i glywed Carys yn dod i lawr, a dyna ichi le oedd yno pan ddaeth hi. Roedd pawb yn y cwpwrdd cornel o gwmpas y drws yn disgwyl yn arw i glywed Carys yn dod i agor iddyn nhw. Clywsant hi'n mynd o gwmpas y gegin ac yn agor y presantau.

'On'd oes yma lot o bresantau?' meddai. 'A! Cerdyn a phresant oddi wrth Anti May. Wel, dyma neis. Doli newydd sbon. O'r beth fach ddel, mi gei di ddod i gysgu hefo mi heno.'

'Hy!' meddai Marian yn y cwpwrdd. 'Fy nhro i a Neli Wen yw mynd i gysgu hefo hi heno!'

'Taw, Marian!' meddai Tedi. 'Gad inni glywed beth arall gafodd hi.'

'Pa bryd mae hi'n mynd i edrych ar ein presant ni?' gofynnodd Bwni Fach.

'O, mi wnaiff hi yn y munud iti,' atebodd Goli. 'Mae hi'n siŵr o'i weld o. Wedyn gewch chi weld beth fydd yn digwydd. Mae hi'n siŵr o ddod i agor inni.'

A dyna lle buon nhw'n gwylio ac yn gwylio. Roedd Carys wedi cael dwy ddoli, a llestri bach, a dwy bêl, a lot o bethau eraill. A thoc dyma nhw'n ei chlywed hi'n dweud, 'Wel, dyna nhw i gyd. Mi af allan i chwarae hefo nhw rŵan.'

A chlywsant hi'n mynd allan dan chwerthin.

Aeth pawb yn y cwpwrdd yn ddigalon iawn. 'Ddaru hi ddim cymaint ag edrych ar ein presant ni,' meddai Bwni. 'Peth rhyfedd, yntê?'

'Hidiwch befo,' meddai Tedi.

Ond er hynny, digalon iawn oeddyn nhw drwy'r dydd, a neb yn dweud rhyw lawer. A phan ddaeth amser te, clywsant y plant yn dod i mewn i'r parti a Carys yn dangos ei phresantau iddyn nhw. A chlywsant fam Carys yn dweud fel arfer—'Wel, mae gen ti lot o bethau del rŵan. Mae eisiau iti gael gwared â llawer o'r hen bethau yna sydd yn y cwpwrdd.'

Edrychodd Neli Wen ar ei dillad, ac yn wir roeddyn nhw braidd yn fudur hefyd, ac roedd gan Marian dwll yn ei ffrog. Ac wrth eu gweld yn edrych mor ddigalon, symudodd Tedi atynt. 'Hidiwch befo,' meddai. 'Dowch i edrych allwn ni agor cil y drws yma, inni gael gweld y parti.'

Ac roedd yno barti neis—jelis a chacennau a phethau felly, a'r plant i gyd yn eistedd wrth y bwrdd. Ond pan oeddyn nhw'n mynd i ddechrau, gollyngodd rhyw eneth fach ei llwy ar lawr. Aeth mam Carys i'w chodi, a gwelodd rywbeth arall ar lawr.

'Helô, beth ydi hwn?' meddai. A chododd y blodau clai i fyny a'u gosod wrth ymyl Carys ar y bwrdd. Darllenodd hithau yr ysgrifen—'I Carys ar ei phen-blwydd yn bedair oed. Oddi wrth bawb yn y cwpwrdd cornel.'

'O!'r pethau bach!' meddai Carys, 'a minnau wedi eu hanghofio nhw drwy'r dydd.'

Neidiodd oddi ar ei chadair ac agor drws y cwpwrdd.

'Dowch yma'r pethau bach annwyl,' meddai. 'Mi gewch chithau barti hefyd.'

Cariodd bob un ohonynt at y bwrdd. A dyna ichi barti oedd yno wedyn. Pawb yn bwyta ac yn cael hwyl fawr a'r blodau clai yn gwneud i'r bwrdd edrych yn neis.

Ar ôl darfod, edrychodd Carys yn hir iawn ar y blodau clai.

'Mam!' meddai hi toc. 'Dydw i ddim yn meddwl y rhof fi yr un o'r teganau yma i ffwrdd eleni. Maen nhw i gyd mor annwyl!'

A'r noson honno, roedd y cwpwrdd cornel yn wag—a phob un o'r teganau yn y llofft gyda Carys.

A chyn mynd i gysgu rhoddodd Goli bwniad i Tedi.

'Roeddwn i'n dweud, on'd oeddwn?' meddai Goli.

'Wel, oeddet wir,' atebodd Tedi.

A rhoddodd y ddau eu pennau i lawr a chysgu'n dawel tan y bore.

Y SNOBS

Roedd y ddwy ddoli newydd gafodd Carys ar ei phen-blwydd yn snobs. Neu dyna ddywedai pawb o deulu'r cwpwrdd cornel, beth bynnag. Elisabeth a May oedd eu henwau a chysgent bob nos mewn cot o'r tu allan i'r cwpwrdd. A dyna un rheswm pam yr oeddyn nhw'n cael eu cyfrif yn snobs. 'Dych chi'n gweld, yn y cwpwrdd cornel y cadwai Carys ei theganau i gyd, ac er bod yno le braf, doedd yno ddim cot a dillad crand arno, a byddent i gyd yn cysgu yn un rhes wrth ochr ei gilydd.

Ond pan gafodd Carys y doliau newydd, cafodd y cot newydd hefyd, a dyna lle'r oeddyn nhw bob nos yn cysgu yn y cot, a dillad crand drostyn nhw i'w cadw'n gynnes.

'Hm!' meddai Neli Wen ryw noson, 'mae'n debyg eu bod nhw'n meddwl nad ydyn ni'n ddigon da i rai o'u bath nhw.'

'Neu hwyrach eu bod nhw'n meddwl y buasen ni'n baeddu eu dillad crand nhw,' meddai Marian, 'ac mae'n bryd inni wneud rhywbeth yn eu cylch nhw hefyd. Nhw a'u steil!'

Daeth Dicw a Goli o rywle ac, ar ôl iddyn nhw glywed yr hanes, roedd Dicw'n dân gwyllt ar unwaith.

'Debyg iawn,' meddai Dicw, 'rhaid inni wneud rhywbeth. Beth am inni fynd yno a'u taflu nhw allan o'r cot crand yna, a baeddu eu dillad nhw?'

'Arhoswch chi,' meddai Goli. 'Cyn inni wneud dim byd fel yna, mae'n well inni fynd i ddweud wrth Tedi a chael pwyllgor.'

Roedd gan deulu'r cwpwrdd cornel, 'dych chi'n deall, bwyllgor i setlo pethau fel yna. Roedd pawb ar y pwyllgor, ond Tedi oedd y llywydd ac ef oedd yn dweud pa bryd i gael pwyllgor.

'Ôl-reit!' meddai Tedi ar ôl clywed am y snobs. 'Mi gawn ni bwyllgor heno ar ôl i Carys fynd i'w gwely.'

Yna galwyd ar Jim i fynd i ddweud wrth bawb am

y pwyllgor. Byddai Jim wrth ei fodd yn gwneud y gwaith hwnnw, ac roedd yn swancio'n arw yn y siwt postman wrth fynd. Canai gloch i ddechrau—'Di-ling, Di-ling, Di-ling!' Ac wedyn gwaeddai—'Heno am hanner nos ar y silff isaf, cynhelir pwyllgor teulu'r cwpwrdd cornel. Disgwylir i bawb fod yno.' 'Di-ling, Di-ling, Di-ling!'

A'r noson honno, roedd pawb yn ei le erbyn pum munud i hanner nos a Tedi'n edrych ar y cloc. Wedyn, am hanner nos union, dyma fo'n codi ac yn dweud—'Wel, gyfeillion! Rydyn ni wedi galw'r pwyllgor heno am fod gan Neli Wen a Marian rywbeth i'w ddweud. Rŵan 'te! P'run ohonoch chi sy'n mynd i siarad gyntaf?'

A chyn iddo eistedd i lawr, roedd Neli Wen ar ei thraed. 'Mr. Llywydd!' dechreuodd. 'Mae Elisabeth a May yn snobs ac mae'n rhaid inni wneud rhywbeth yn eu cylch nhw.'

'Be ydi snobs?' gofynnodd Bwni Fach.

'Snobs,' atebodd Tedi, 'ydi pobol sy'n meddwl eu bod nhw'n rhywun . . .'

'Rydyn ni i gyd yn snobs, felly,' meddai Bwni.

'Beth?' Roedd pawb yn edrych yn gas iawn a Neli Wen a Marian wedi gwylltio'n lân.

'Wel ydyn, siŵr iawn!' Roedd Bwni Fach yn methu deall pam yr oedd pawb yn edrych mor gas.

'Mae pawb yn rhywun, on'd ydi? Rydw i yn Bwni Fach. Mae Tedi yn Tedi. Mae Neli Wen yn Neli Wen . . . a . . .'

'Aros di am funud, Bwni.' Dechreuodd Tedi egluro wedyn. 'Mi wn i fod pawb ohonom yn rhywun, ond snobs ydi . . . y . . . wel . . . snobs ydi rhywun sy'n cymryd arnyn eu bod nhw'n rhywun nad ydyn nhw ddim . . .'

''Run fath â taswn i'n cymryd arnaf 'mod i yn Neli Wen, ie?'

'Ie.'

'Wel, pam na fuaset ti'n dweud hynny i ddechrau, Tedi?'

Edrychodd Tedi arni am funud heb wybod yn iawn beth i'w ddweud. 'Wel,' meddai toc, 'roeddwn i'n meddwl nad oedd yma neb mor ddwl nad oedd yn gwybod be ydi snobs.'

'O!' A phenderfynodd Bwni Fach na fuasai'n gofyn dim byd wedyn.

Cododd Marian ar ei thraed. 'Maen nhw yn y cot yna, mewn dillad swel,' meddai, 'ac maen nhw'n ei lartsio hi, ac yn edrych i lawr arnon ni. O, mae'n gas gen i nhw. Mae'n gas gen i nhw—nhw a'u hwynebau gwynion glân.' A thrawodd Marian ei throed ar y llawr, wedi gwylltio'n arw iawn. Roedd yn amlwg bod pawb o'r un farn â hi hefyd, wel, bron pawb felly, oherwydd cododd Goli ar ei draed.

'Mr. Llywydd!' meddai. 'Dydw i ddim yn deall pethau o gwbwl. Pan ddois i yma gyntaf roedd yna rai ohonoch chi'n gas iawn wrtha i, am fod fy wyneb i'n ddu. Ac, yn ddistaw bach, roeddych chi'n edrych i lawr arna i am nad oeddwn i yr un lliw â chi. Snobs sydd yn gwneud hynny hefyd, wyddoch chi. Roeddych chi'n dweud y drefn amdana i am fod fy wyneb i'n ddu, a rŵan, dyma chi'n dweud y drefn am Elisabeth a May am fod eu hwynebau nhw'n wyn. Dydw i ddim yn eich deall chi, wir.'

Wel! Tasai Goli wedi sefyll ar ei ben â'i draed yn yr awyr, fuasen nhw ddim wedi synnu mwy, mae'n siŵr.

'Clywch! Clywch!' gwaeddodd Bwni Fach. Wyddai hi ddim am beth chwaith, ond ei bod hi'n meddwl fod Goli wedi siarad yn dda.

Ond ddywedodd neb arall yr un gair. Roedd Neli Wen a Marian yn cofio mor gas oeddyn nhw wedi bod wrth Goli ar y cyntaf, ac roedd hyd yn oed Dicw'n teimlo'n reit annifyr. A thoc meddai Dicw,

'Ond rydyn ni wedi dod i dy 'nabod ti rŵan, Goli. Rwyt ti'n un ohonon ni ac rydyn ni'n gwybod dy fod ti'n ôl-reit.'

'Siŵr iawn, siŵr iawn!' Roedd Neli Wen a Marian yn awyddus iawn i ddweud eu bod nhw'n cyd-weld.

'Wel, dyna ni, yntê,' meddai Goli. 'Rydw i'n cytuno fod eisiau inni wneud rhywbeth ynghylch Elisabeth a May. Ond nid mynd yno a baeddu eu dillad nhw a'u taflu nhw allan o'r cot sydd eisiau, ond mynd yno i wneud ffrindiau hefo nhw, debyg iawn.'

'Hy!' Cododd Neli Wen ei thrwyn i'r awyr. 'Wna i ddim ffrindiau hefo nhw, beth bynnag!'

'Na finnau chwaith!' Edrychodd Marian yn fwy penderfynol nag erioed.

'Rŵan, rŵan!' Cododd Tedi ar ei draed o'r diwedd. 'Rydyn ni wedi siarad hen ddigon. Ac mae Goli yn iawn. Ein lle ni ydi gwneud ffrindiau . . .'

'Dydi o ddim yn iawn i ti siarad fel yna, Tedi!' Neidiodd Neli Wen ar ei thraed a'i llygaid yn wyllt iawn. 'Rhaid inni fotio ar y peth. Mae Goli yn cynnig ein bod ni'n gwneud ffrindiau, ac rydw innau'n cynnig ein bod ni'n eu taflu nhw allan o'r cot. Os bydd y rhan fwyaf ohonon ni eisiau gwneud ffrindiau, wel, dyna fo, ond os bydd y rhan fwyaf ohonon ni eisiau eu taflu nhw allan, rhaid inni gael gwneud hynny.'

Ac felly fu. Ond ar ôl iddyn nhw fotio, doedd yna neb ond Goli a Bwni Fach o blaid bod yn ffrindiau hefo Elisabeth a May. Roedd pawb arall am eu taflu nhw allan o'r cot a baeddu eu dillad nhw.

'Mae'n ddrwg gen i mai fel yna rydych chi'n teimlo,' meddai Tedi, 'oherwydd ddaeth pethau erioed yn well wrth ffraeo a pheidio â bod yn ffrindiau.'

'Hy!' Cychwynnodd Neli Wen i ffwrdd. 'Aros di, Tedi, nes cael gweld sut y bydd pethau fory. Mi fydd yn haws siarad hefo'r snobs yna ar ôl heno.'

'Wel bydd, wir,' meddai Marian. 'Gei di weld fel byddan nhw'n dod yma fory i ddweud fod yn ddrwg ganddyn nhw eu bod nhw wedi bod yn gymaint o snobs.'

Ac i ffwrdd â'r criw i gyd drwy ddrws y cwpwrdd, ac i'r gegin.

Eisteddodd Tedi a Goli a Bwni Fach y tu mewn yn ddistaw.

Roedd yn ddrwg iawn ganddyn nhw fod y lleill yn mynd i frifo Elisabeth a May.

'A hwythau'n ddieithr a phopeth,' meddai Goli. 'Mae'n siŵr fod arnyn nhw ein hofn ni. Neb yn dweud dim byd wrthyn nhw, na dim.'

Ac ar hynny, dyna sŵn mawr o'r tu allan. Sŵn gweiddi a chrio a sŵn rhywbeth yn disgyn. Roedd Elisabeth a May yn crio'n arw, ond daeth y lleill i mewn dan chwerthin.

'Dyna fo,' meddai Neli Wen. 'Clywch y ddwy snob yn crio. Mi fydd raid iddyn nhw gysgu ar lawr heno. Ha! Ha!'

'Edrychwch!' meddai Dicw. 'Mi gefais i afael ar gôt neis May. Beth fydd hi'n ddweud fory, tybed?'

A chwarddodd pawb yn uchel wedyn, a chychwyn i'w gwelyau.

'Mi fyddan nhw'n haws eu trin fory,' meddai Marian cyn cysgu. 'O byddan!'

Ond bore trannoeth, roedd popeth yr un fath â chynt, ond bod golwg ofnus iawn ar Elisabeth a May. Mae'n amlwg fod Carys neu rywun wedi eu codi nhw'n ôl i'r cot, ac wedi rhoi dillad trostyn nhw. Roedd gan Elisabeth lwmp mawr ar ei thalcen, ac roedd un llygad i May yn goch i gyd. A phan ddaeth teulu'r cwpwrdd cornel allan, rhoddodd y ddwy eu pennau o dan y dillad.

'Wel!' meddai Neli Wen, 'maen nhw'n gymaint o snobs ag oeddyn nhw erioed. Ond mi gawn ni dipyn o hwyl am eu pennau nhw eto heno.'

'Ofn sydd arnyn nhw, debyg iawn,' atebodd Goli. 'Mae'n biti gen i drostyn nhw, beth bynnag.'

Ond roedd Neli Wen wedi mynd a'i thrwyn yn yr awyr cyn iddo ddarfod siarad. Edrychodd Goli ar y cot a bu bron iddo â mynd yno i siarad ag Elisabeth a May, ond meddyliodd fod yn well iddo beidio.

Pan ddaeth yn ôl i'r cwpwrdd, pwy oedd yno ond Bwni Fach yn eistedd ar ei phen ei hun.

'Helô!' meddai Goli. 'Dwyt ti ddim wedi mynd allan i chwarae heddiw?'

'Nac ydw i.' Edrychai Bwni'n ddigalon iawn.

'Wyt ti'n sâl?' gofynnodd Goli.

'Nac ydw i.'

'Wyt ti wedi digio?'

'Nac ydw i.'

'Wel, beth sy arnat ti 'te?'

Cododd Bwni Fach ei phen.

'Meddwl rydw i,' atebodd.

Symudodd Goli yn nes ati.

'Meddwl am beth?'

'Meddwl beth i'w wneud hefo Elisabeth a May,' atebodd Bwni. 'Mae'n biti gen i drostyn nhw yn eu gwely drwy'r dydd.'

'H-m!' Eisteddodd Goli i lawr a rhoddodd ei law o dan ei ben.

'Mae'n biti gen innau hefyd,' meddai, 'ond beth allwn ni 'i wneud 'te? Wyt ti wedi bod yn siarad hefo nhw, Bwni?'

'Naddo. Wn i ddim beth i'w ddweud wrthyn nhw.'

'H-m!' Rhoddodd Goli ei law arall o dan ei ben. A dyna lle buon nhw'n eistedd ac yn edrych yn ddigalon am hir iawn. Ond yn sydyn cododd Bwni Fach.

'Mi wn i,' meddai hi. 'Mi a' i i ddweud wrthyn nhw nad oeddyn ni ein dau ddim yn y criw oedd yn eu dychryn nhw neithiwr.'

A chyn i Goli gael amser i ateb, roedd hi drwy'r drws ac yn mynd nerth ei thraed at y cot. Rhedodd Goli ar ei hôl, a safodd yn nrws y cwpwrdd i gael gweld beth fuasai'n digwydd.

Aeth Bwni Fach ar ei hunion at y cot.

'Hei!' gwaeddodd.

Am funud ni ddigwyddodd dim byd, ond gwelodd Goli ddillad y cot yn symud.

'Hei!' meddai Bwni wedyn.

Ac yna rhoddodd Elisabeth ei phen allan yn ofnus a dyna ben May yn dod i'r golwg, ar ei hôl.

'Helô,' meddai Bwni.

'O—y—helô,' meddai Elisabeth.

Wyddai Bwni ddim beth i'w ddweud wedyn, ond wrth weld y lwmp ar dalcen Elisabeth gofynnodd, 'Ddaru chi frifo'n arw?' A chyn iddi hi gael amser i ateb aeth yn ei blaen—'Mae'n ddrwg gen i,' meddai hi, 'ond doedd Goli na fi ddim yn y criw fuo yma neithiwr. Roeddyn ni eisiau bod yn ffrindiau hefo chi.'

'O, felly?' Cododd May ei phen ac edrychodd at ddrws y cwpwrdd ar Goli. A phe buasai wyneb Goli'n wyn, mi fuasai wedi cochi at ei glustiau wrth iddi hi edrych arno felly, ond gan mai du oedd ei liw, doedd dim posib i neb ddweud a oedd Goli'n cochi ai peidio.

'Pam roedd y lleill yn ein taflu ni allan?' gofynnodd Elisabeth.

Edrychodd Bwni Fach ar Goli ac wrth weld Goli yn nodio arni i ddweud, mentrodd siarad wedyn.

'Dweud eich bod chi'n snobs roeddyn nhw,' meddai hi.

'Be ydi snobs?' gofynnodd May.

'Snobs,' atebodd Bwni Fach, gan deimlo'n falch iawn ei bod hi'n gwybod, 'snobs ydi rhywrai sy'n cymryd arnynt eu bod nhw'n rhywun arall.' Ac wrth eu gweld yn edrych arni mor syn brysiodd i ddweud—'Ond roedd Goli a fi yn dweud nad oeddych chi ddim.'

'Wel,' meddai Elisabeth. 'Chlywais i 'rioed mo May yn dweud ei bod hi yn rhywun arall, a ddwedais innau mo hynny erioed chwaith . . . Elisabeth a May ydyn ni, yntê?' gofynnodd, gan droi at May.

'Ie, ie,' atebodd May, 'a does arnon ni ddim eisiau bod yn neb arall chwaith.'

Rhoddodd Elisabeth ei phen allan yn ofnus a
dyna ben May yn dod i'r golwg, ar ei hôl.

Ond ar hynny, daeth Neli Wen a Marian heibio a rhoddodd Elisabeth a May eu pennau o dan y dillad, a rhedodd Bwni Fach i'r cwpwrdd.

'Dyna fo,' meddai Bwni wrth Goli, 'roeddyn ni'n iawn. Dydyn nhw ddim yn snobs. Ac rydw i am alw pwyllgor heno.'

A rhedodd yn ei blaen i ddweud wrth Tedi.

A'r noson honno, roedd yna bwyllgor arall yn y cwpwrdd. Eglurodd Bwni Fach nad oedd Elisabeth a May yn gwybod beth oedd snobs, a'u bod nhw'n ddoliau neis iawn, a'u bod nhw'n rhai clên i siarad â nhw. Ond roedd Neli Wen a Marian yn dal i sôn am fynd allan i'w taflu nhw o'r cot.

'Twt, twt!' meddai Tedi. 'Peidiwch â siarad ar draws eich gilydd. Mi ddeuda i beth wnawn ni. Fe awn ni i'w nôl nhw i mewn yma, inni gael sgwrs!'

Meddyliodd Neli Wen a Marian y buasai hynny'n hwyl garw ac felly dyma nhw'n cytuno i adael i Bwni Fach fynd i'w nôl nhw i mewn.

'Gei di weld crynu byddan nhw,' meddai Neli Wen.

'Siŵr!' atebodd Marian. 'My fyddan nhw'n methu gwybod beth fyddwn ni am 'i wneud iddyn nhw.'

Ond pan ddaethon nhw drwy'r drws roedd Elisabeth a May yn edrych yn iawn. Aethant ymlaen at y bwrdd, a chyn i neb ddweud dim dechreuodd Elisabeth siarad â Tedi.

'Diolch yn fawr iawn ichi,' meddai hi.

'Diolch?' meddai Tedi. 'Diolch am beth?'

'Diolch am gael dod i mewn i'r cwpwrdd,' atebodd hithau. 'Rydyn ni wedi bod eisiau cael dod yma ers talwm iawn.'

'Dydyn ni ddim yn cymryd snobs i mewn yma,' meddai Neli Wen.

'Ond dydyn ni ddim yn snobs,' meddai May. 'Beth wnaeth ichi feddwl ein bod ni?'

'Ddim yn snobs?' Cododd Marian ar ei thraed a cherddodd yn nes atyn nhw. 'Rydych chi'n cysgu mewn cot ar eich pennau eich hunain, mae ganddoch chi ddillad crand, ac mae eich wynebau chi eich dwy yn lân ac yn wyn. Be ydi hynny ond snobs, tybed?'

'Ond . . .'—edrychodd Elisabeth ar Tedi—'mi ddwedodd Bwni Fach mai pobol yn cymryd arnynt eu bod nhw'n rhywun arall oedd snobs. A does arnon ni ddim eisiau bod yn neb ond ni ein hunain. Does ganddon ni ddim help fod ein hwynebau ni'n lân—mae wyneb pob doli newydd yn lân, a'u dillad nhw'n grand. A does arnon ni ddim eisiau cysgu yn y cot—mi fuasai'n well o lawer ganddon ni gael cysgu yn y cwpwrdd.'

Edrychodd pawb yn syn am funud ac roedd Neli Wen a Marian hyd yn oed yn gweld ei bod hi'n dweud y gwir.

'Wel!' meddai Tedi, 'rydych chi'n clywed beth maen nhw'n ddweud.' A chan droi at Elisabeth a May gofynnodd, 'Ydych chi'n dweud y buasai'n well ganddoch chi'r cwpwrdd na'r cot?'

'Buasai wir,' atebodd May.

'O ddifrif?' gofynnodd Neli Wen.

'O ddifrif,' meddai May wedyn. 'Hwyrach eich bod chi'n meddwl fod y cot yn lle braf, ond mae hi'n oer iawn yna yn y nos, ac mae arnon ni ofn yn y tywyllwch. Mae'n llawer brafiach bod yn y cwpwrdd fel hyn.'

'Wel, wir,' meddai Neli Wen, 'rydyn ni wedi gwneud camgymeriad mawr. Rydw i'n cynnig eu bod nhw'n cael dod yma. A hefyd yn gofyn iddyn nhw faddau inni am neithiwr.'

Ac, wrth gwrs, roedd pawb o'r un farn. A dyna le oedd yno y noson honno. Aeth Elisabeth a May i nôl y dillad oddi ar y cot a'u rhannu gyda'r lleill. A dyna ichi beth rhyfedd, roedd Elisabeth wedi dod o'r un siop â Neli Wen, ac roedd May yn 'nabod chwaer fach Marian mewn siop arall. A chyn mynd i gysgu'r noson honno, rhoddodd y ddwy gusan i bob un o

deulu'r cwpwrdd cornel, i ddangos eu bod nhw'n ffrindiau. A phetasai wyneb Goli'n wyn, rydw i'n siŵr y buasai wedi cochi pan gafodd gusan gan May.

Y CWESTIWN

Ar ôl helynt Elisabeth a May, bu teulu'r cwpwrdd cornel yn hapus iawn gyda'i gilydd nes daeth Anti Meri i edrych am Carys ryw ddiwrnod.

Wedi cael te, dyma hi'n estyn parsel a dweud, 'Wel Carys, rydw i wedi dod â doli newydd sbon ichi, ac mae hi'n ddoli neis hefyd. Rydw i wedi gwneud ei dillad a'i chap hi fy hunan.'

Pan glywodd teulu'r cwpwrdd cornel hynny, roeddyn nhw'n glustiau i gyd, a phawb yn ceisio gweld sut ddoli oedd yr un newydd.

'Gobeithio mai hogan ydi hi,' meddai Neli Wen.

'Wel, nage wir,' atebodd Dicw, 'eisiau hogyn sydd arnon ni, mae yma ormod o enethod fel y mae hi.'

'Does dim gwahaniaeth,' meddai Tedi, 'y peth pwysig i ni ydi ei bod hi'n ddoli glên.'

Ond bobol bach, pan welsant Anti Meri'n tynnu'r ddoli allan o'r papur, bu bron iddyn nhw i gyd chwerthin dros bob man. Bachgen—neu hogyn, chwedl Dicw—oedd y ddoli newydd, ond hogyn rhyfedd iawn. Roedd ganddo rywbeth fel coban fawr ddu amdano, a throwsus du, a het sgwâr ddu, a thoslyn bach yn hongian wrthi.

'Bobol annwyl,' meddai Carys, 'beth ydi'r dillad rhyfedd 'ma sydd ganddo?'

'O,' atebodd Anti Meri, 'cap a gown maen nhw'n galw dillad fel yna, 'run fath ag sydd gan bobol yn y coleg. Ac mae hynny'n golygu ei fod yn glyfar iawn. Rŵan, beth gawn ni'n enw ar y ddoli newydd?'

'Bimbo,' meddai Carys, heb feddwl beth roedd hi'n ei ddweud.

'Bimbo?' meddai Anti Meri. 'Rhyw enw digrif iawn ydi hwnna, ond os mynnwch chi, galwch o yn Proffesor Bimbo. 'Dych chi'n gweld, mae ganddo ddillad proffesor, ac mae o'n glyfar iawn.'

Ac felly fu. Daeth Proffesor Bimbo â'i goban ddu a'i het sgwâr i fyw yn y cwpwrdd cornel. Roedd

Dicw a Goli wedi meddwl cael hwyl fawr y noson honno hefyd, ond fel arall y bu hi.

Fel arfer, pan fyddai doli newydd yn dod, mi fyddai Tedi'n galw pwyllgor o'r teulu i gyd i roi croeso iddo ac i ddweud pwy oedd pwy. Ac fe wnaeth y noson honno. Daeth pawb at ei gilydd i'r silff isaf, ond er iddyn nhw ddisgwyl yn hir iawn, doedd dim golwg o Proffesor Bimbo.

'Wel,' meddai Tedi toc, 'mae'n well i rywun fynd i fyny i'r silff uchaf i ddweud wrtho am ddod i lawr. Hwyrach ei fod o braidd yn ofnus, neu hwyrach nad ydi o ddim yn gwybod fod ganddo hawl i ddod yma.'

'Neu,' meddai Bwni Fach, 'hwyrach ei fod o wedi cysgu.'

Ond pan aeth Dicw i fyny i chwilio amdano, dyna lle'r oedd Bimbo yn eistedd ar ei ben ei hun.

'O, helô!' meddai Dicw. 'Rydyn ni'n gwneud cyfarfod croeso ichi ar y silff isaf, ac mae gennych chi hawl i ddod yno. Does dim rhaid ichi fod ofn . . .'

'Ofn? Hy!' Cododd Bimbo ar ei draed a dechreuodd chwerthin yn uchel. 'Ofn, ddwedaist ti? Y fi eich ofn chi! Wel wir, chlywais i 'rioed y fath beth. A beth ydi'r lol yma am ryw gyfarfod croeso?'

Eglurodd Dicw wrtho am y pwyllgor, a dywedodd

mai Tedi oedd y llywydd, a'u bod nhw'n arfer rhoi croeso i rywun newydd.

'Hy!' meddai Bimbo ar ei draws. 'Mi gawn ni weld. A Tedi ydi'r llywydd, ai e? Beth ŵyr Tedi am bwyllgor, sgwn i?'

'Wel, mae Tedi'n glyfar iawn,' meddai Dicw.

'Ho! ho! ho! Ac mae Tedi'n glyfar iawn, ydi o?' Chwarddodd Bimbo wedyn. 'Ond dos di yn ôl, a dywed wrthyn nhw fod Proffesor Bimbo yn dod yn union, ar ôl iddo ddarfod ei waith.'

Doedd Dicw ddim yn ei leicio ryw lawer, ond aeth i lawr a dywedodd ei neges. Wedyn, dyma nhw'n dechrau disgwyl. A disgwyl y buon nhw am yn agos i hanner awr. A phan ddaeth Bimbo, wnaeth o ddim dweud fod yn ddrwg ganddo na dim, ond aeth ar ei union ac eistedd ar ben y bwrdd o flaen Tedi. Wedyn, dyma fe'n troi ac yn edrych yn fawreddog ar bawb.

Cododd Tedi ar ei draed. 'Rydyn ni fel teulu'n falch iawn o gael eich croesawu chi,' dechreuodd. Ond torrodd Bimbo ar ei draws.

'Twt, twt, twt!' meddai. 'Beth ydi rhyw hen lol fel hyn? Ydych chi'n gwybod pwy ydw i? Wel, mi ddeuda i wrthych chi. Proffesor Bimbo ydi f'enw i.'

'Da iawn,' atebodd Tedi. 'A dyma Neli Wen a Dicw a . . .'

'Distawrwydd!' gwaeddodd Bimbo. 'Fydda i ddim yn leicio i bobol siarad ar fy nhraws i.' Wedyn, dyna fe'n troi at Goli. 'Ti â'r gwallt cyrliog a'r wyneb du yna! Beth maen nhw'n dy alw di?'

Roedd Goli wedi dychryn dipyn, ond medrodd ateb yn bur foneddigaidd!

'A thithau?' gofynnodd Bimbo i Jim. Ac felly y gwnaeth o gyda phob un ohonyn nhw. Wedyn, dyma fe'n dweud, 'Rŵan, rydyn ni'n mynd i gael pwyllgor iawn. *Fi* fydd y llywydd a *fi* fydd yn dweud beth i'w wneud yma. *Fi* ydi'r clyfra sydd yma ac felly *fi* ddylai gael bod yn ben arnoch chi . . . Rŵan 'te!' meddai, gan droi at Tedi, 'dos allan o'r gadair yna, i mi gael eistedd yna i ddweud sut mae pethau i fod.'

Ond hyd yn oed os oedd Bimbo'n broffesor, doedd teulu'r cwpwrdd cornel ddim am gymryd popeth, chwaith.

'Aros di,' meddai Dicw, 'dwyt ti ddim yn mynd i gael gwneud peth fel yna, proffesor neu beidio. Rydyn ni wedi codi Tedi yn llywydd a Tedi fydd o hefyd.'

'Arhoswch chi,' meddai Tedi, 'mae'n amlwg nad ydi Proffesor Bimbo ddim yn deall pethau. 'Dych chi'n gweld, Proffesor, mae pawb yma yn ffrindiau ac yn hapus, ac rydw i'n disgwyl y byddwch chithau yr un fath. Hynny ydi, y byddwch chi yn un ohonon ni, yntê?'

'Un ohonoch chi! *Y fi*!' Aeth wyneb Bimbo'n goch i gyd. 'Wel, na fydda byth. Pobol ddwl ydych chi. Ond amdana i, rydw *i* yn glyfar iawn.'

Methodd Bwni Fach â dal yn hwy.

'Dydych chi ddim mor glyfar â Tedi,' meddai hi.

'Ho!' Trodd Bimbo ati ar unwaith. 'Mi welaf eich bod chi'n meddwl eich bod chi'n glyfar yma, on'd ydych chi? Wel, mi gawn ni weld. O cawn, mi gawn ni weld, yntê? Beth am imi ofyn cwestiwn neu ddau ichi. Mae'n well imi ofyn i chi bob yn un. Nage, nage, rydych chi'n rhy ddwl i hynny. Mi ofynnaf i chi i gyd gyda'ch gilydd. Ydych chi'n barod?'

'Barod!' atebodd teulu'r cwpwrdd cornel i gyd.

'Ôl-reit! Dyma'r cwestiwn cyntaf.' Edrychodd Bimbo'n bwysig iawn. '*Beth sydd yn grwn fel soser, yn felyn fel lemon, ac ymhell oddi wrthon ni?*'

'Y plât sydd ar y silff ben tân yn y gegin,' atebodd Bwni Fach.

Edrychodd Bimbo'n fawreddog arni. 'Twt!' meddai.

'Ond *mae'r* plât yn grwn fel soser, ac *mae* o'n felyn fel lemon,' meddai Bwni Fach wedyn.

'Ond dydi o ddim yn bell oddi wrthon ni,' meddai Bimbo. 'Triwch eto.'

Ond aeth pawb yn ddistaw iawn. 'Ho! ho!' chwarddodd Bimbo, 'roeddwn i'n meddwl eich bod chi'n glyfar yma?'

'Dyma'r ateb,' meddai Tedi. 'Mae'r haul yn grwn fel soser, ac mae o'n felyn fel lemon, ac mae o ymhell oddi wrthon ni.'

Curodd y lleill i gyd eu dwylo. 'Da iawn, Tedi,' meddai Neli Wen.

Ond daliodd Bimbo ei law i fyny. 'Nage,' meddai. 'Nid dyna'r ateb iawn. Yr ateb iawn ydi *y lleuad.*'

Methodd Bwni Fach â dal wedyn. 'Ond,' meddai hi, 'dydi'r lleuad ddim yn grwn fel soser bob amser. Mae'r lleuad yn fain ambell dro.'

Ond aeth Bimbo yn bur gas. 'Y *fi* sydd yn gofyn y cwestiynau yma,' meddai, 'a *fi* sy'n gwybod beth ydi'r ateb iawn. Ond mi rof un arall ichi. Rŵan 'te, *Pam mae defaid gwynion yn rhoi mwy o wlân na defaid duon*?'

Roedd yn amlwg na wyddai neb beth oedd yr ateb i hwnnw, ac edrychodd Bimbo'n falch iawn wrth weld hynny.

'Wel,' meddai, 'yr ateb ydi am fod yna fwy o ddefaid gwynion, wrth gwrs. Felly maen nhw'n rhoi mwy o wlân. Ha! ha! ha!'

'Dydw i ddim yn deall, wir,' meddai Bwni Fach.

'Twt, twt,' atebodd Bimbo. 'Rhai dwl ydych chi. Dyna beth sy'n bod. Ond mi rof un arall ichi. Ac os na fedrwch chi ateb hwn, rhaid i mi gael mynd yn llywydd. 'Rŵan 'te—*Pam mae iâr ddu yn glyfrach na iâr wen*?'

'Pwy sy'n dweud ei bod hi?' gofynnodd Goli.

'Y *fi* sy'n dweud!' Sythodd Bimbo yn fwy nag erioed. 'Y *fi* sy'n dweud. Rŵan 'te, pam?'

Aeth pawb yn ddistaw wedyn, a phawb yn meddwl eu gorau glas. Ond yn sydyn cododd Bwni Fach.

'Mi wn i. Mi wn i,' gwaeddodd.

'Wel,' meddai Bimbo. 'Pam?'

'Am fod yna fwy o ieir gwynion!'

'Twt, twt, twt! Dydi hwnna ddim yn ateb o gwbl. Does yna ddim sens yn hwnna.' Roedd Bimbo wedi dechrau gwylltio erbyn hyn.

'Wel, ydi wir, mae hwnna'n ateb iawn,' atebodd Bwni Fach. 'Dyna oedd yr ateb i'r cwestiwn arall yna. Fod yna fwy o ddefaid gwynion. A pham na wnaiff hi'r tro imi gael dweud fod yna fwy o ieir gwynion?'

Ond ar hynny, cododd Tedi ar ei draed. 'Arhoswch chi,' meddai. 'Rydw i'n meddwl fy mod i'n gwybod hwn. Mae iâr ddu yn glyfrach na iâr wen am fod iâr ddu yn gallu dodwy . . .'

Ond, torrodd Bimbo ar draws Tedi. 'Mae'r amser ar ben,' gwaeddodd. 'A dyma'r ateb. Mae iâr ddu yn glyfrach na iâr wen am fod iâr ddu yn gallu dodwy wy gwyn. Ond fedar iâr wen ddim dodwy wy du. Dyna chi wedi methu ateb eto.'

'Ond dyna oeddwn i'n mynd i ateb,' meddai Tedi. 'Ond chefais i ddim cyfle.'

'Mae'n ddigon hawdd iti ddweud hynna rŵan,' meddai Bimbo. 'Ond mae'n rhy hwyr. Ac felly *fi* ydi llywydd teulu'r cwpwrdd cornel.'

Ond gweiddi ar ei draws o roedd pawb. Ac roedd yno le garw iawn. Bimbo'n gweiddi mai fo oedd y llywydd a'r lleill yn gweiddi mai Tedi oedd i fod, ac nad oedd Bimbo wedi bod yn deg gyda'r cwestiynau. Ac, o'r diwedd, fe fu raid iddo roi ei le yn ôl i Tedi.

'Ond cofiwch chi,' meddai Bimbo, 'dydw i ddim wedi darfod hefo chi. O! naddo.'

Pan gafodd Tedi dawelwch, dywedodd, 'Piti garw i bethau fynd fel hyn yma heno. Does arnon ni ddim eisiau twrw a ffraeo fel hyn. Ond gan fod Proffesor Bimbo'n dal i ddweud ein bod ni'n rhai dwl, beth am iddo fe gael gofyn un cwestiwn teg inni, ac i ninnau gael amser i ateb. Wedyn, os methwn ni, fe gaiff o fod yn llywydd, ond os gallwn ni ateb, bydd yn rhaid iddo fyhafio yma.'

Roedd pawb yr un farn, ac roedd hyd yn oed Bimbo yn cyd-weld.

'Wel!' meddai Tedi, gan droi ato. 'Beth am y cwestiwn?'

Cododd Bimbo ar ei draed. 'Ydw i wedi deall yn iawn?' gofynnodd. 'Os methwch chi ag ateb, fi fydd y llywydd. Ie?'

'Ie,' atebodd Tedi, 'ac os atebwn ni'n iawn, bydd yn rhaid ichi fyhafio yma.'

'Reit!' meddai Bimbo. 'Atebwch chi byth mo hwn. Dyma'r cwestiwn—*Beth fedrwch chi ei roi mewn berfa er mwyn ei gwneud hi'n ysgafnach*?'

'Gawn ni'r cwestiwn eto,' gofynnodd Tedi, 'er mwyn i bawb fod wedi ei ddeall?'

Gwrandawodd pawb yn astud iawn a gofynnodd Bimbo'r cwestiwn wedyn. '*Beth fedrwch chi ei roi mewn berfa er mwyn ei gwneud hi'n ysgafnach?*'

Roedd yn amlwg nad oedd neb yn gwybod, a chwarddodd Bimbo yn uchel. 'Mae gennych chi hyd nos Sadwrn i feddwl,' meddai. Ac wedyn i ffwrdd ag ef i'w wely, gan chwerthin.

Ddywedodd neb ddim gair ar ôl iddo fynd. Dim ond edrych ar ei gilydd yn ddigalon iawn. Yna, aeth Neli Wen a Marian i'w gwelâu, ac wedyn Dicw a Goli, ac o dipyn i beth aeth y lleill i gyd. Dim ond Tedi oedd ar ôl. Ac mae'n rhaid ei fod o wedi bod yno drwy'r nos hefyd, oherwydd pan ddeffrôdd y lleill yn y bore, dyna lle'r oedd o yn dal i feddwl. Ac felly bu pethau am wythnos, bron. Roedd y lleill yn meddwl ac yn poeni, ond roedd Tedi wedi mynd i edrych yn sâl iawn.

'Mae'n biti gen i drosto!' meddai Neli Wen. 'A beth wnawn ni os na fedrwn ni gael yr ateb?'

A dyna oedd pawb yn ei ofyn. Doedd neb eisiau gweld Bimbo yn llywydd, am ei fod mor fawreddog.

Ond doedd waeth iddyn nhw heb na theimlo piti drosto. Fedrai neb feddwl am ateb i'r cwestiwn. Ac erbyn dydd Gwener, roedd Bimbo'n meddwl ei hun yn fwy nag erioed.

'Ho! ho!' chwarddodd wrth eu gweld yn edrych mor ddigalon. 'Mi fyddwch chi'n teimlo'n well nos fory. Mi gawn ni bwyllgor iawn, ac mi fydd yna lywydd newydd!'

'Ond dydi hi ddim yn nos fory eto,' meddai Bwni Fach.

'Hy!' Edrychodd Bimbo'n gas iawn arni. 'Beth fedri di wneud, tybed?' gofynnodd. 'Os wyt ti mor glyfar, ateb di y cwestiwn.'

Ac wrth ei weld o mor fawreddog, penderfynodd Bwni Fach fod yn rhaid iddi gael yr ateb.

'O diar mi!' meddai wrthi ei hunan. 'Mae'n rhaid imi gael yr ateb. Mae'n rhaid imi.'

A thrwy'r nos bu'n meddwl ac yn meddwl ac yn meddwl, ond pan ddaeth bore dydd Sadwrn, doedd hi ddim wedi cael yr ateb.

'Mae'n rhaid imi,' meddai wedyn.

A wir, cyn gynted ag y cafodd hi gyfle, aeth drwy'r drws cefn ac allan i'r ardd. Pwy oedd yn y fan honno ond Robin Goch yn hel pethau i wneud nyth. Roedd ganddo ferfa fach yn eu dal nhw, a phan welodd Bwni ef, aeth ato yn syth.

'Esgusodwch fi,' gofynnodd, 'ond ellwch chi ddweud beth fedra i ei roi mewn berfa i'w gwneud hi'n ysgafnach?'

Pwy oedd yn y fan honno ond Robin Goch yn hel pethau i wneud nyth.

Edrychodd Robin Goch yn syn arni. 'Na fedra i,' meddai, a daliodd ymlaen i weithio.

Eisteddodd Bwni Fach ar ochr y ferfa i edrych arno'n cerdded yn ôl a blaen. Ac ymhen tipyn daeth Robin Goch yno a dwy bluen yn ei big a rhoddodd nhw yn y ferfa.

'Aha!' meddai Bwni Fach. 'Dyna'r ateb iawn. Plu. Mae plu yn ysgafn ac felly maen nhw'n gwneud y ferfa'n ysgafnach.'

'Wel, nac ydyn wir,' atebodd Robin Goch. 'Ar ôl imi lenwi'r ferfa yn llawn hefo plu, mae hi'n llawer iawn trymach na phan mae hi'n wag. Na, nid plu ydi'r ateb, beth bynnag. Mi wn i hynny.'

'O wel!' Aeth Bwni Fach yn ei blaen ar hyd y llwybr nes dod at haid o forgrug yn gweithio'n galed.

'Esgusodwch fi,' gofynnodd, 'ond fedrwch chi ddweud beth fedra i ei roi mewn berfa i'w gwneud yn ysgafnach?'

Safodd un o'r morgrug wrth ei hymyl am funud. 'Na fedra i,' atebodd. 'Ac rydw i'n rhy brysur i feddwl. Bore da.'

Ond ar hynny, gwelodd Bwni Fach un arall yn dod â llond berfa o wyau morgrug.

'Aha!' meddai. 'Dyna'r ateb. Wyau morgrug! Maen nhw'n ysgafn iawn . . .'

Ond wrth ei chlywed, safodd y morgrugyn bach â'r ferfa wrth ei hymyl. 'Ysgafn?' meddai. ''Chydig wyddoch chi. Mae pump o wyau yn gwneud llond berfa ac maen nhw'n drwm iawn. Mae berfa wag yn dipyn haws i'w gwthio na berfa yn llawn o wyau morgrug.'

'O wel!' Aeth hithau ymlaen wedyn i waelod yr ardd. A phwy oedd yno ond Mr. Twrch Daear yn gwneud twll mawr ac yn cario'r pridd a'r cerrig allan ohono mewn berfa.

'Esgusodwch fi,' gofynnodd Bwni Fach, 'ond fedrwch chi ddweud beth fedra i ei roi mewn berfa i'w gwneud yn ysgafnach?'

'Beth?' Rhoddodd Mr. Twrch Daear y ferfa i lawr. 'Mi fuaswn i'n leicio tasai hon yn ysgafnach,' meddai. 'Ond pam wyt ti eisiau gwybod?'

Dywedodd Bwni Fach yr hanes i gyd wrtho, ac mae'n amlwg fod Mr. Twrch Daear yn meddwl am rywbeth hefyd, oherwydd roedd o'n gwenu ynddo'i hun wrth iddi ddweud.

'Os ydych chi'n gwybod,' meddai Bwni, 'wnewch chi ddweud, os gwelwch yn dda? Mi wnaf unrhyw beth ichi, os gwnewch chi ddweud.'

'Ôl-reit!' Rhoddodd Mr. Twrch Daear un droed ar ei glust. 'Mi ddwedaf wrthyt ti os gwnei di gario'r pridd a'r cerrig yna i gyd o'r twll mawr yn y ferfa.'

'Rydych chi'n gwybod, felly ?'

'Debyg iawn, rydw i'n gwybod.' Sythodd Mr. Twrch Daear a cheisiodd edrych yn glyfar iawn. Doedd o ddim yn gwybod chwaith, ond meddyliodd mor braf fuasai cael Bwni Fach i weithio yn ei le am dipyn. Ond wyddai Bwni ddim byd am hynny, ac felly dechreuodd arni o ddifrif. A dyna lle bu hi drwy'r pnawn, yn cario ac yn cario nes roedd hi'n chwys diferol.

A phan ofynnodd hi beth oedd yr ateb, dywedodd Mr. Twrch Daear wrthi am weithio tipyn wedyn.

Dechreuodd hithau arni ond roedd hi'n dechrau amau erbyn hynny. A phan oedd hi'n mynd â'r ferfa i'r twll mawr, clywodd Mr. Twrch Daear yn chwerthin yn uchel, ac yn dweud wrth Mr. Llygoden tric mor dda roedd o wedi'i wneud â Bwni.

'O,' meddai hithau wrthi ei hunan, 'a finnau wedi gweithio mor galed iddo.'

Gafaelodd mewn carreg fawr a lluchiodd hi i mewn i'r ferfa, ac er ei braw disgynnodd honno drwy waelod y ferfa, a gwneud *twll* ynddi. Roedd Bwni wedi dychryn gormod i wneud dim am funud.

'Wel,' meddai hi toc, 'mae'n well imi fynd oddi yma ar unwaith.'

Gafaelodd yn y ferfa i'w symud oddi ar y ffordd. Ac wrth iddi wneud hynny, gwelodd beth oedd yr ateb i'r cwestiwn . . . 'Hwrê!' gwaeddodd. Ac i ffwrdd â hi, a Mr. Twrch Daear yn gweiddi ar ei hôl, ond doedd waeth iddo heb. Aeth Bwni Fach drwy ddrws y cefn a thrwy'r gegin ac i mewn i'r cwpwrdd cornel ar ras.

Pan gyrhaeddodd hi, roedd y pwyllgor ar fin dechrau a phawb ond Bimbo'n edrych yn ddigalon iawn.

'Oho!' meddai Bimbo. 'Dyma ni yma i gyd rŵan. Mae'n amlwg nad oes neb yn gwybod yr ateb i'r cwestiwn, felly *fi* ydi'r llywydd . . .'

'Arhoswch!' Roedd Bwni Fach bron â cholli ei gwynt. 'Mi wn i beth yw'r ateb.'

'Beth?' Edrychodd Bimbo yn ofnus arni . . .

'Gwn,' meddai Bwni Fach. 'Mi wn i. Y peth i'w roi mewn berfa i'w gwneud hi'n ysgafnach ydi *twll.* Rydw i newydd fod wrthi hi yn gwneud un rŵan, ac mi wn i felly.'

Ac wrth gwrs, roedd hi'n iawn. Ac am ei bod hi'n iawn, fe fu raid i Bimbo fyhafio o hynny allan, a chafodd Tedi ddal i fod yn llywydd ar deulu'r cwpwrdd cornel.

Y LLEIDR

Un o helyntion rhyfeddaf teulu'r cwpwrdd cornel oedd helynt dal y lleidr. Roedd yn dipyn o sioc iddyn nhw ffeindio bod yno leidr o gwbwl, ond roedd yn fwy o sioc byth iddyn nhw pan ddaru nhw ffeindio pwy oedd y lleidr. Fuasen nhw ddim wedi meddwl am leidr o gwbwl oni bai am Bwni Fach, a hyd yn oed wedyn, fuasen nhw byth wedi credu, oni bai iddyn nhw gael digon o brawf. Wel, dyma i chi beth ddigwyddodd . . . Ond doedd dim i'w wneud ond galw pwyllgor.

Roeddyn nhw wedi dod fel arfer i'r pwyllgor, a Tedi'n galw eu henwau nhw allan o un i un, a hwythau'n ateb:—

'Neli Wen . . .'

'Yma.'

'Dicw . . .'

'Yma.'

'Marian . . .'

'Yma.'

Ac felly ymlaen, nes iddyn nhw ateb eu henwau i gyd.

'Wel,' meddai Tedi, ar ôl iddo ddarfod, 'mae pawb yma'n ddiogel. A does yna ddim byd arall i'w wneud heno, os nad oes gan rywun rywbeth i'w ddweud.'

'Mae gen i rywbeth i'w ddweud,' atebodd Marian.

Trodd pawb i edrych arni. Beth oedd ganddi i'w ddweud, tybed?

'Ôl-reit!' meddai Tedi. 'Beth sydd gen ti, Marian?'

'Dim ond hyn.' Daeth Marian ymlaen i ganol y llawr. 'Rydw i wedi colli fy nghap nyrs, a does gen i ddim syniad ble mae o. Rydw i wedi chwilio ym mhobman, hefyd, chwarae teg imi.'

'Biti, biti!' atebodd Tedi. 'Ond mae'n debyg ei fod o ar lawr yn y gegin yn rhywle. Paid â phoeni! Fe gei di'r cap fory.'

Ond drannoeth, er iddyn nhw chwilio pobman yn y gegin, doedd yna ddim golwg ohono yn unman.

'Dyna beth rhyfedd, yntê?' meddai Marian. 'Rydw i'n cofio'n iawn ei fod o gen i echdoe. Fe'i rhoddais o yn yr un fan ag arfer, ond mae o wedi mynd. Dydw i ddim yn deall o gwbwl.'

'Does dim help,' meddai Tedi. 'Fe ddaw'r cap i'r golwg eto, mae'n siŵr iti.'

Ond ddaeth o ddim. A gwaeth na hynny, dywedodd Neli Wen y noson honno ei bod hithau wedi colli ei barclod yn rhywle, ac yn methu'n glir â chael hyd iddo. A'r noson wedyn, roedd cloch Jim Bach ar goll. Ac yn wir, felly y bu hi am wythnos gyfan. Roedd pawb wedi colli rhywbeth. Roedd yr injan wedi colli olwyn, roedd un o'r milwyr plwm wedi colli gwn, roedd y ceffyl wedi colli'r seren oddi ar ei dalcen, ac Elisabeth, y ddoli newydd, wedi colli ei ruban gwallt.

'Wel, wir,' meddai Tedi, 'rhaid inni edrych i mewn i beth fel hyn.'

A'r noson honno, ar ôl iddo alw'r pwyllgor, fe ddywedodd y drefn yn bur arw wrthyn nhw.

'Welwch chi,' meddai Tedi, 'wnaiff hi mo'r tro o gwbwl ichi golli pethau fel hyn o hyd. Rhaid ichi gymryd gwell gofal ohonyn nhw—rhaid wir. Wn i ddim beth i'w wneud. Ond mae'n rhaid ichi ddysgu edrych ar ôl eich pethau . . .'

A dyna lle buo fo, am awr gyfan, yn ei dweud hi wrthyn nhw, nes bod pawb yn teimlo'n bur annifyr.

Ond y noson honno, fe gollodd Tedi ei hun bâr o sanau. A . . . wel! Os oedd yno le cynt, roedd yno fwy o le wedyn, yn siŵr. Fe wyddai Tedi'n iawn lle'r oedd o wedi rhoi'r sanau, ond pan aeth o yno bore trannoeth, roeddyn nhw wedi diflannu.

'Rydw i'n methu'n lân â deall!' meddai Tedi wrth y pwyllgor. 'Neithiwr, roeddwn i'n dweud y drefn wrthych chi am fod mor flêr. A rŵan, dyma finnau eto mor flêr â'r un ohonoch chi. Wn i ddim beth sydd arnon ni. Na wn i, wir. Mae rhywbeth yn bod, mae'n siŵr. Ond beth? Dyna ydi'r cwestiwn. Beth?'

'Hwyrach fod yma ryw glefyd,' meddai Goli.

'Be ydi clefyd?' gofynnodd Bwni Fach.

'Clefyd,' atebodd Tedi, 'ydi salwch. Mae pobl yn colli eu cof ambell dro, ac yn anghofio pethau. Mae hynny yn glefyd . . .'

'Ond nid colli ein cof wnaethon ni,' meddai Bwni wedyn, 'ond colli ein pethau. Ac mae hynny'n wahanol, on'd ydi?'

'Hwyrach mai wedi dianc maen nhw,' meddai Dicw.

'Twt, twt!' meddai Tedi. 'Pwy erioed glywodd am bethau fel yna yn dianc, mi leiciwn i wybod?

Fedr cap nyrs ac olwyn a barclod a phâr o sanau ddim dianc, siŵr iawn.'

Aeth pawb yn ddistaw iawn wedyn, a neb yn dweud dim am dipyn. Ond yn sydyn cododd Bwni Fach ar ei thraed.

'Mi wn i,' meddai hi. 'Os na allan nhw ddianc, mae'n rhaid fod rhywun wedi mynd â nhw, yn rhaid?'

'Wel?' Edrychodd Tedi arni yn ddifrifol iawn. 'Beth wyt ti'n feddwl, Bwni?'

Edrychodd Bwni Fach o'i chwmpas cyn ateb. 'Meddwl rydw i,' atebodd, 'fod 'na leidr yma.'

Tasai hi wedi dweud fod y brenin yn dod yno, fuasen nhw ddim wedi cael mwy o sioc. Ddywedodd neb air am hir iawn. Doedd neb yn gwybod yn iawn beth i'w ddweud, ac roedd pawb yn teimlo'n annifyr iawn hefyd.

'Wel!' meddai Bwni, 'dyna fi wedi dweud beth rydw i yn 'i feddwl, yntê?'

'Ie, ie,' atebodd Tedi. 'Ie . . . y . . . diolch yn fawr. Ond . . . y . . . oes gan rywun arall rywbeth i'w ddweud?'

Ond doedd gan neb ddim byd. Roeddyn nhw wedi synnu gymaint rywsut.

'Hm!' meddai Tedi toc. 'Mi wn i fod y peth yn dipyn o sioc inni i gyd. Ac mae'n debyg na fuasen ni

‘Meddwl rydw i . . . fod ’na leidr yma.’

wedi meddwl am leidr oni bai i Bwni Fach ddweud fod yna un. Ond ar ôl meddwl, bron na fuaswn i yn cyd-weld â hi hefyd, er ei fod o'n beth mor gas.'

Cododd Goli ar ei draed. 'Mr. Llywydd,' meddai, 'os ydyn ni'n dweud fod yma leidr, mae'n rhaid mai un ohonon ni ydi o, yntê?'

'Wel . . . y . . .' Roedd Tedi'n methu gwybod beth i'w ddweud. 'Wel . . . y . . . does yma neb ond y ni yn byw yn y cwpwrdd cornel, yn nac oes?'

'Dyna roeddwn i'n 'i feddwl,' atebodd Goli. 'Felly, rhaid fod y lleidr yma rŵan.'

Edrychodd pawb ar ei gilydd, a phawb yn meddwl tybed ai'r un oedd yn eistedd agosaf ato oedd y lleidr. Wir, roedd hi'n mynd yn annifyr iawn yno. Neb yn eistedd yn glòs fel bydden nhw'n arfer, ond pawb ar ei ben ei hun.

Wrth eu gweld nhw felly, roedd Tedi'n poeni'n arw.

'Wel, gyfeillion,' meddai, 'wnaiff hi mo'r tro fel hyn yma. Mae pawb yn amau ei gilydd a does dim posib inni fod yn ffrindiau felly, yn nac oes? Y peth gorau inni ydi ceisio dod o hyd i'r lleidr ar unwaith. Wedyn, mi fydd popeth yn iawn.'

'Ond y drwg ydi, sut fedrwn ni ddod o hyd iddo?'

meddai Dicw. 'Does ganddon ni ddim syniad pwy ydi o, yn nac oes?'

'Hwyrach y gallaf fi helpu!' Cododd Bimbo ar ei draed. Am fod ganddo siwt proffesor, roedd o'n meddwl ei fod yn gwybod popeth. 'Y peth gorau inni'i wneud ydi gofyn i bawb wylio rhywun arall. Wedyn, mi gawn weld a fydd yna ddwyn eto yma.'

'Beth yn hollol wyt ti'n 'i feddwl?' gofynnodd Dicw.

'Wel, hyn!' Edrychodd Bimbo'n bwysig iawn. 'Gwneud rheol nad oes yr un ohonon ni i fod ar ei ben ei hun, ond bod yn rhaid i ddau ohonon ni fod ym mhobman gyda'n gilydd, i gysgu a phopeth. Mi fydd Tedi a fi bob amser hefo'n gilydd, ac mi fydd Dicw a Goli, a Neli Wen a Marian. Ydych chi'n gweld, os bydd pawb felly, fedr y lleidr ddim dwyn heb i'r llall ei weld.'

Roedd pawb yn gweld y cynllun yn un da iawn. Ac felly fu. Pasiwyd nad oedd neb i fynd i unman ar ei ben ei hun o hynny ymlaen. Aethant i gyd i'w gwelâu y noson honno a phawb yn gwylio'r un oedd hefo fo.

Ond bore trannoeth, roedd esgid Bwni Fach a het Bimbo ar goll.

Wrth gwrs, roedd yn rhaid cael pwyllgor arall, ac

roedd pawb yn awyddus iawn i wybod beth oedd wedi digwydd.

'Rŵan 'te,' dechreuodd Tedi, 'y peth cyntaf i'w wneud ydi cael gwybod a oedd pawb hefo'i gilydd drwy'r nos neithiwr. Mi wn fod Bimbo a minnau hefo'n gilydd ar hyd yr amser. Beth amdanoch chi, Neli Wen a Marian?'

'Oedden,' atebodd y ddwy.

'Jim a Bwni Fach?'

'Oedden.'

'Dicw a Goli?'

Ond ddywedodd yr un o'r ddau yr un gair.

'Dicw a Goli?' gofynnodd Tedi wedyn. Ac wrth eu gweld yn ddistaw, 'Wel, oeddych chi?' gofynnodd eto.

'Mi es i i gysgu,' atebodd Dicw, 'ond pan ddeffrois i, doedd Goli ddim yno.'

'Beth?' Roedd pawb wedi cael sioc. Goli o bawb! Wel!

Ond dywedodd Goli ei fod wedi clywed rhyw sŵn, a'i fod wedi codi o'i wely i edrych beth oedd yno.

Wedyn, dyma Elisabeth yn dweud, 'Pan ddeffrois innau yn y nos, doedd May ddim yn ei gwely, a phan edrychais i dyna lle'r oedd hi yn siarad hefo Goli, yn y gongl acw.'

'Clywed Goli wnes i,' meddai May, 'a mynd ato i edrych beth oedd yn bod.'

Ond roedd yn amlwg iawn fod pethau'n edrych yn bur ddrwg. Doedd neb yn leicio dweud dim byd, ond roedd yn amlwg eu bod nhw'n meddwl mai Goli oedd y lleidr.

'Beth oedd Goli'n 'i wneud pan welsoch chi o?' gofynnodd Tedi.

'Edrych o'i gwmpas fel pe buasai'n chwilio am rywbeth,' atebodd hithau.

'Oedd ganddo rywbeth yn ei law?'

'Nac oedd, dim byd.'

'Oedd o'n edrych yn ofnus?'

'Nac oedd, debyg iawn. Mae Goli'n ddewr iawn.' Edrychodd May ar Goli wrth ateb, ac roedd Goli'n edrych yn falch iawn.

'Rydw i'n siŵr imi glywed sŵn yn y nos,' meddai, 'ond roedd hi'n rhy dywyll imi weld llawer. Rydw i'n meddwl mai yn y gongl acw roedd y sŵn. Ac roeddwn i wrthi'n chwilio pan ddaeth May yno. Wedyn, ar ôl siarad am funud, aethon ni'n ôl i'n gwelâu.'

'H-m!' Roedd Tedi'n methu gwybod beth i'w ddweud yn iawn. 'Mi adawn ni bethau fel y maen nhw am dipyn eto,' meddai. Ac felly fu.

Ond gyda'r nos, aeth at gapten y milwyr plwm a gofyn iddo roi'r milwyr i wylio yma ac acw.

'Ond paid â dweud wrth neb,' meddai Tedi.

Addawodd y capten wneud hynny, ac aeth pawb i'r gwely'n gynnar y noson honno. Cymerodd y milwyr eu lle i wylio a phawb arall yn cysgu'n drwm.

Ond rywdro, tua dau o'r gloch y bore, dyna sŵn mawr. Sŵn rhedeg a gweiddi ac, wrth gwrs, cododd pawb ar frys mawr. Pan gawsant olau, beth welsant ond pump o'r milwyr plwm yn gorwedd ar gefn rhywun yn y gongl, a hwnnw'n ceisio codi. A phwy oedd o ond Goli.

'Beth sydd wedi digwydd?' gofynnodd Tedi.

Daeth y capten ymlaen. 'Roedden ni'n gwylio, fel yr addawsom,' meddai, 'ac am ryw dair awr ni ddigwyddodd dim byd. Ond, tua phum munud yn ôl, clywsom sŵn yn y gongl yma, ac ar ôl inni ddod yn nes gwelsom rywun yn gorwedd ar ei hyd ar lawr. Wedyn, dyma bump o'r milwyr yn neidio ar ei gefn, a'i ddal.'

'Wel, Goli!' Edrychodd Tedi yn ddig iawn. 'Mae'n ddrwg gen i mai ti yw'r lleidr. Beth sydd gen ti i'w ddweud rŵan?'

'Dim byd,' atebodd Goli, 'ond mai nid y fi ydi'r lleidr. Mi glywais y sŵn hwnnw eto heno, ac mi godais i weld beth oedd yna. Ac rydw i'n siŵr imi weld y lleidr yn mynd i'r twll yma. Mi orweddais ar lawr i edrych a allwn i weld rhywbeth y tu mewn. Ac ar hynny, dyma'r milwyr yn neidio ar fy nghefn i. Ond nid y fi ydi'r lleidr.'

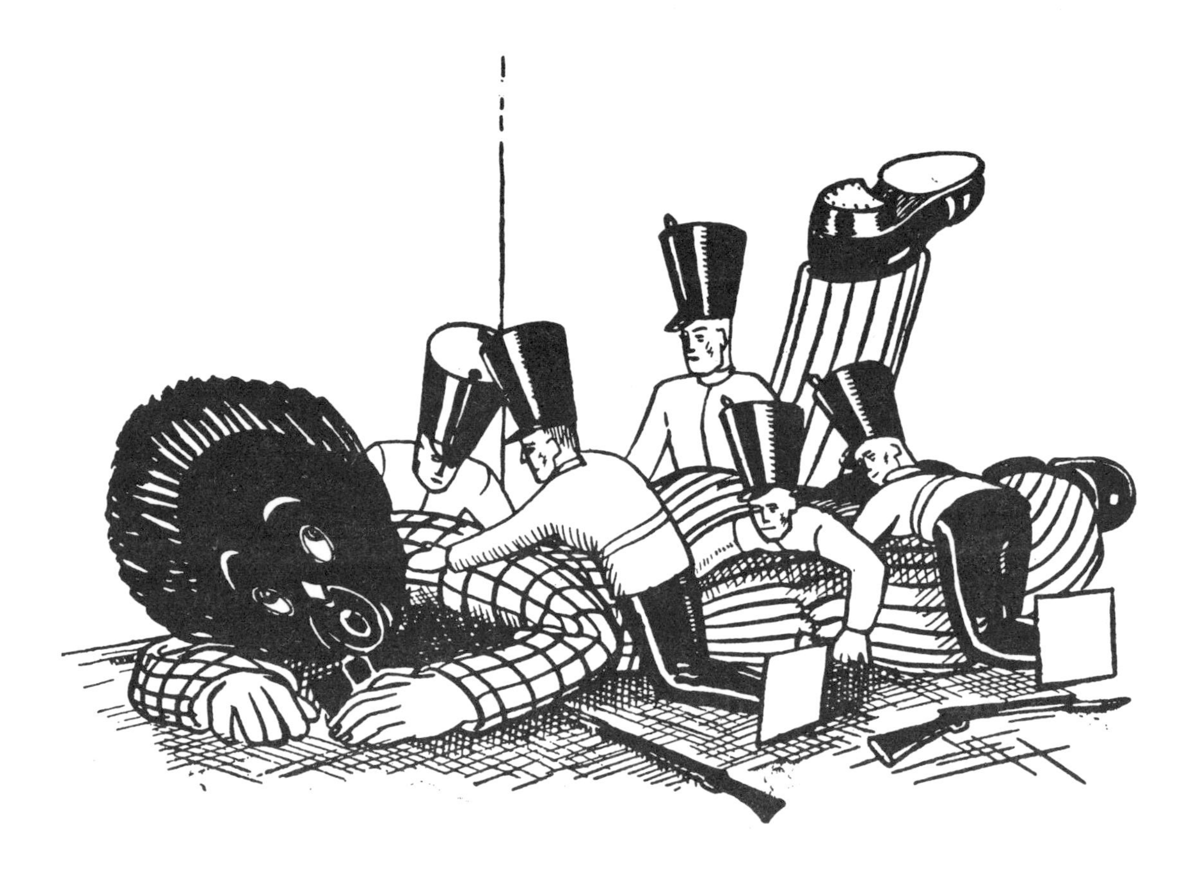

'Hy!' meddai Bimbo, 'pwy fyth fuasai'n credu rhyw stori fel yna, tybed?'

'Rydw *i* yn ei chredu hi!' Safodd May o'i flaen yn syth. 'Ac rydw i yn credu nad Goli ydi'r lleidr.'

'A finnau,' meddai Bwni Fach. 'Mae Goli'n dweud y gwir.'

'Ond mae'r twll yna yn rhy fach i neb ohonon ni fynd trwyddo,' meddai Bimbo. 'A pheth arall, rydyn ni yma i gyd. Tasai'r lleidr wedi mynd i'r twll fuasai hwnnw ddim yma . . .'

Ond ar hynny, dyna Dicw'n gweiddi, 'Fy nghrafat gorau i! Mae o wedi mynd. Beth wna i? Ydi wir, mae'r crafat wedi mynd!'

Ac felly'r oedd hi hefyd. Roedd y lleidr wedi dwyn crafat gorau Dicw y noson honno. Roedd o'n ddig iawn ac yn edrych yn bur gas ar Goli.

'Ble mae'r crafat?' gofynnodd Dicw.

'Wn i ddim,' atebodd Goli. 'Nid y fi aeth â fo. Nage wir, Dicw.'

Ond roedd pawb yn meddwl mai Goli oedd y lleidr. Hynny ydi, pawb ond May a Bwni Fach. Roeddyn nhw'n credu ei fod o'n dweud y gwir.

'Mae Goli bob amser mor neis,' meddai May. 'Pan ddois i yma gyntaf, roedd o mor glên. Ac rydyn ni'n ffrindiau mawr. Fuasai un mor neis â Goli byth yn lleidr.'

'Na fuasai, debyg iawn,' meddai Bwni Fach. 'Ond yr unig ffordd inni brofi nad ydi o ddim yn lleidr ydi dal y lleidr iawn.'

'Oes gen ti gynllun?' gofynnodd May.

'Wn i ddim,' atebodd Bwni Fach. 'Ond mi feddylia i am rywbeth. Mae'n rhaid inni feddwl am rywbeth.'

A'r noson honno, cyn mynd i'r gwely, dywedodd Bwni Fach y cynllun wrth May.

'Ardderchog,' atebodd hithau. 'Wyt ti'n meddwl y gwnaiff o weithio?'

'Mae o'n siŵr o weithio,' meddai Bwni. A ffwrdd â hi i weld capten y milwyr.

'Mae gen i syniad pwy ydi'r lleidr,' meddai. 'A dyma beth wnawn ni i'w ddal: ar ôl i bawb fynd i'w wely, mae eisiau ichi roi edau yn sownd wrth bethau pob un, a dal y pen arall i'r edau yn eich llaw. Os daw'r lleidr i nôl rhywbeth, mi gewch chi glywed yr edau yn tynnu. Pan glywch chi hynny, gwaeddwch chi "LLEIDR!" dros bob man.'

'Ond beth tasai'r lleidr yn dianc?' gofynnodd y capten.

'Wnaiff o ddim.' Edrychodd Bwni Fach yn gall iawn. 'Gadewch chi'r lleidr i mi, ar ôl ichi weiddi.'

'Ôl-reit,' meddai'r capten, 'mi wnaf.'

Wel i chi, ar ôl i bawb gysgu, cododd Bwni Fach yn ddistaw a cherddodd i'r lle'r oedd May.

'Sh-sh!' meddai, gan roi ei bys ar ei thrwyn. 'Reit ddistaw rŵan.'

Cododd May yn ddistaw, ac aeth y ddwy yn araf bach at y twll yn y gongl, a'r bocs clai gyda nhw.

Wedyn, dyna ddechrau disgwyl. Clywsant y cloc mawr yn y gegin yn tipian tic-toc-tic-toc. Wedyn, dyna fe'n taro hanner nos. Disgwyl wedyn. Tic-toc —Un o'r gloch y bore. Tic-toc, tic-toc. Dau o'r gloch y bore. Ac yn sydyn, dyna sŵn o'r twll. Clywsant rywun yn dod allan, ond roedd hi'n rhy dywyll i weld neb. Wedyn, dyna lais y capten yn gweiddi 'LLEIDR!' nes bod y lle yn diasbedain. Gafaelodd May a Bwni Fach yn y bocs clai a'i daro ar y twll fel na fedrai neb fynd i mewn. Clywsant sŵn rhywun yn rhedeg atynt a neidiodd y ddwy i ben y bocs a thrawodd rhywun yn ei erbyn yn galed, wrth geisio mynd i'r twll.

Digwyddodd popeth ar draws ei gilydd. Cododd teulu'r cwpwrdd cornel wrth glywed y sŵn a rhoddodd Tedi y golau ymlaen. A dyna lle'r oedd y lleidr yn rhedeg yn ôl a blaen ac yn methu gwybod beth i'w wneud.

Safodd Bwni Fach ar ben y bocs a gwaeddodd allan, 'Dyna'r lleidr ichi! Roedd Goli'n dweud y gwir ei fod yn clywed sŵn wrth y twll yma. Wel, dyna'r lleidr!'

A phwy oedd y lleidr, ond Mrs. Llygoden.

Wrth gwrs, daliwyd hi ar unwaith, ac roedd pawb yn falch iawn o gael ysgwyd llaw hefo Goli a dweud fod yn ddrwg ganddynt fod wedi ei amau.

Cafwyd prawf ar Mrs. Llygoden ac roedd hi'n dweud fod yn ddrwg iawn ganddi.

'Wna i byth eto,' meddai. 'Ac fe ddof â'r pethau i gyd yn ôl fory. Os gwelwch yn dda, gadewch imi fynd.'

Ac wrth ei gweld wedi dychryn cymaint pasiwyd y dylen nhw adael iddi fynd yn ôl. Wedyn, rhoddwyd bocs ar y twll fel na fedrai hi ddod yno i ddwyn wedyn.

Roedd yno hwyl garw y noson honno a phawb ar ei draed drwy'r nos. Ond er bod pawb yn glên iawn, roedd yn amlwg fod yn well gan Goli Bwni Fach a May na neb arall.

'Diolch yn fawr ichi,' meddai Goli.

'Rhaid ichi ddim,' atebodd May. Yna rhoddodd ei breichiau am wddf Goli a tharo cusan fawr ar ei drwyn!

Y FRECH GOCH

Ddaru chi feddwl, rywdro, pa mor anodd yw dweud pan fydd y frech goch ar ddyn du? Wel, mi fu raid i deulu'r cwpwrdd cornel wneud hynny. Wrth gwrs, nid *dyn* du oedd yno yn y cwpwrdd cornel ond *doli* ddu, ond mae dyn du a doli ddu yr un peth, pan fydd hi'n fater o ddweud a yw'r frech goch arnyn nhw ai peidio.

Helynt fawr oedd helynt y frech goch, er na ddaru neb feddwl ymlaen llaw y buasai yno helynt o gwbl. Ond, o ran hynny, ddaru neb feddwl chwaith mai doli ddu oedd Goli. Ond mae'n well imi ddechrau'r stori yn iawn, on'd ydi, a dweud sut y daeth y frech goch i'r cwpwrdd cornel yn y lle cyntaf. Carys ddaliodd hi, 'dych chi'n gweld. Roedd teulu'r cwpwrdd wedi sylwi, ers rhyw ddiwrnod neu ddau, nad oedd hi ddim yn dda iawn. Doedd hi ddim yn chwarae rhyw lawer, ac fe glywsant ei mam hi'n dweud nad oedd hi'n bwyta dim. A rhyw fore, er iddyn nhw ddisgwyl a disgwyl, ddaeth hi ddim i agor drws y cwpwrdd iddyn nhw!

'Tybed ydi hi'n sâl?' gofynnodd Marian.

'Gobeithio nad ydi hi ddim,' meddai Tedi, 'er, roedd hi'n edrych yn sâl ddoe, on'd oedd? 'Rhoswch chi, mi edrychwn ni rhag ofn y clywn ni rywbeth.'

Ac yn ddistaw bach, dyma Tedi'n agor drws y cwpwrdd ac yn gwrando, a'r lleill i gyd o'i gwmpas.

'Sh!' meddai Goli toc. 'Mae yna rywun yn dod i lawr o'r llofft.'

A phwy oedd yno ond y doctor. Gwelsant o'n dod i'r gegin hefo mam Carys a chlywsant y ddau yn siarad.

'Ie,' meddai'r doctor, 'y frech goch sydd arni hi! Ond mi fydd hi'n ôl-reit. Cadwch hi yn ei gwely'n gynnes, gynnes, a dwedwch wrthi hi am beidio â thynnu'r dillad oddi arni, a pheidio â rhoi ei breichiau allan o'r gwely.'

'Ôl-reit, doctor,' atebodd mam Carys. 'Roeddwn

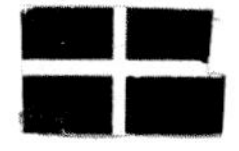

i'n methu deall beth oedd y smotiau cochion yna oedd arni hi . . .'

'O!' meddai yntau. 'Fel yna y bydd pawb a'r frech goch arnyn nhw. Dyna sut y gwyddoch chi beth ydi o, ydych chi'n gweld. O ie—cofiwch dynnu'r bleind i lawr a chofiwch beidio â gadael iddi hi godi ac edrych allan drwy'r ffenestr. Os caiff hi ormod o olau, wnaiff hi ddim mendio am hir iawn.'

A phan oedd y doctor yn mynd allan, dyma fo'n troi'n ôl wedyn a dweud,

'A chofiwch chi beidio â gadael iddi chwarae hefo'r plant eraill am dair wythnos. 'Dych chi'n gweld, os bydd rhywun a'r frech goch arno, a rhywun arall yn mynd yno i chwarae, mae perygl i hwnnw hefyd fynd yn sâl. Wel, bore da rŵan.'

Ac i ffwrdd â'r doctor.

'Tedi,' gofynnodd Bwni Fach, 'beth ydi'r frech goch?'

'Y frech goch,' dechreuodd Tedi, 'ydi—wel—ydi pan fydd rhywun yn sâl . . .'

'Ond dydi pawb sy'n sâl ddim a'r frech goch arnyn nhw,' torrodd Bwni Fach ar ei draws.

'Nac ydi, wrth gwrs,' atebodd yntau, 'ond pan fydd rhywun â'r frech goch, fe elli di weld smotiau bach cochion ar eu hwynebau nhw ac ar eu breichiau nhw, wyt ti'n gweld.'

'O!' Edrychodd Bwni Fach ar ei breichiau ond doedd yno ddim smotiau.

'Ond beth am May a Jim Bach?' gofynnodd Goli yn sydyn.

'Wel, beth amdanyn nhw?' meddai Tedi.

'Wel,' atebodd Goli, 'roedd y doctor yn dweud nad oedd yna neb i fynd yn agos i Carys am dair wythnos ac mae May a Jim Bach yn y gwely gyda hi rŵan. Nhw oedd yn cysgu hefo hi neithiwr, yntê?'

'Hm!' Edrychodd pawb ar ei gilydd, heb wybod yn iawn beth i'w ddweud wedyn.

'Maen nhw'n siŵr o gael y frech goch, on'd ydyn?' meddai Goli.

'Os cân' nhw'r frech goch,' meddai Bwni Fach, 'a dod yma, mi gawn ninnau o wedyn, yn cawn?'

'Fuaswn i ddim yn meddwl y daw mam Carys â nhw yma nes byddan nhw wedi mendio,' atebodd Tedi.

'Ond beth tasen ni yn ei gael o?' gofynnodd Bwni Fach wedyn.

'Mae hi'n ddigon buan inni feddwl am hynny rŵan,' meddai Tedi. 'Waeth inni heb â meddwl am bethau cas cyn iddyn nhw ddod, na waeth? A hwyrach na ddaw o ddim o gwbwl.'

Ond dod i'r cwpwrdd cornel a wnaeth y frech goch. Ac fel hyn y bu hi. Roedd Bwni Fach wedi codi'n foreach nag arfer, ac wedi mynd am dro i'r silff isaf cyn brecwast. A phan oedd hi'n dod yn ôl, pwy oedd yn eistedd ar y bocs clai a'i law o dan ei ben ac yn edrych yn ddigalon iawn ond Wil Wiwer. Aeth Bwni Fach yn nes ato, a phan oedd hi'n mynd i ofyn beth oedd yn bod, cododd Wil Wiwer ei ben a gwelodd Bwni ei wyneb. Edrychodd hithau arno am funud heb ddweud dim byd, ac yna yn sydyn—'SPOTS!' gwaeddodd. Ac i ffwrdd â hi nerth ei thraed i ddweud wrth Tedi.

Roedd hi bron â cholli ei gwynt. 'Tedi!' gwaeddodd. *'Spots! Spots!* Mae gan Wil Wiwer smotiau coch! Mae'r frech goch wedi dod i'r cwpwrdd cornel.'

A wir ichi, felly'r oedd hi hefyd. Daeth y lleill yno i gyd, ac *roedd* gan Wil Wiwer smotiau coch.

'Rŵan,' meddai Marian, 'i ffwrdd â chi ar unwaith. Bob un ohonoch chi!'

'Dych chi'n gweld, doli a dillad nyrs ganddi hi oedd Marian, a hi fyddai bob amser yn dweud beth i'w wneud, os oedd rhywun yn sâl yn y cwpwrdd. Ac roedd hi'n nyrs dda iawn hefyd, ac yn gwybod yn iawn sut i fendio pobol.

'Dangos dy dafod,' meddai hi wrth Wil Wiwer. 'Hm,' meddai hi wedyn, ar ôl iddo wneud. 'Rhaid iti fynd i dy wely, ar unwaith.'

'*Spots!*' gwaeddodd ac i ffwrdd â hi nerth ei thraed.

'Tedi!' gwaeddodd, 'mae'n well i ti a Dicw gario gwely Wil Wiwer i'r gongl bellaf yna. Wedyn, mae eisiau ichi ddod â dwy sgrîn i'w rhoi o'i gwmpas, i wneud y lle yn dywyll a rhag i neb fynd ato.'

Ac felly fu. Rhoddwyd Wil yn ei wely a neb ond Marian yn mynd yn agos ato. Roedd hi'n nyrs dda hefyd, ac yn ffeind iawn. Byddai Wil yn cael diod boeth a phethau felly o hyd.

'Wn i ddim beth fuasen ni'n wneud tasai Marian yn cael y frech goch,' meddai Tedi. 'Pwy fuasai'n tendio arnon ni wedyn?'

'Chaiff hi ddim, siŵr iawn,' atebodd Bwni Fach. 'Dydi nyrsys ddim yn mynd yn sâl.'

Ond os nad oedd nyrsys yn mynd yn sâl, roedd plant y cwpwrdd cornel yn mynd, beth bynnag. Ar ôl Wil Wiwer, pwy gafodd y frech goch nesaf ond Elisabeth, y ddoli newydd. Wedyn, dyma Dicw yn mynd yn sâl a chariodd Tedi a Goli eu gwelâu nhw i'r gongl, y tu ôl i'r ddwy sgrîn. Roedd Wil yn falch iawn o'u gweld nhw hefyd, er mwyn iddo gael cwmpeini yno.

'Wel!' meddai Tedi ar ôl iddyn nhw fynd. 'Mae'n dda ein bod ni'n gwybod pan fydd y frech goch ar rywun, on'd ydi?'

Ydych chi'n gweld, roedd Nyrs Marian wedi dweud wrthyn nhw am gofio symud eu gwelâu i'r gongl os byddai ganddyn nhw smotiau. 'Dowch cyn gynted ag y gwelwch chi'r smotiau,' meddai hi. 'Wedyn, mi fendiwch ynghynt o lawer iawn.'

Wir, roedd pethau'n gweithio'n dda felly, hefyd. Pawb oedd yn gweld smotiau arno'i hun yn mynd ar unwaith i'r gongl bellaf. Ond ryw bnawn, pan oeddyn nhw'n cael te, dyma Bwni Fach yn gofyn yn sydyn—

'Sut mae gwybod pan fydd y frech goch ar ddyn du?'

'Ond y smotiau, siŵr iawn,' dechreuodd Goli, a stopiodd yn sydyn. 'Na,' meddai. 'Fedrwn ni ddim gweld y smotiau ar ddyn du, yn na fedrwn?'

'Na fedrwn,' atebodd Bwni Fach. 'A'r peth ydi, sut yr ydyn ni'n mynd i ddweud pan fydd y frech goch ar Goli?'

Yr argien fawr! Doeddyn nhw ddim wedi meddwl am hynny o gwbl.

'Wel, rydyn ni mewn twll,' meddai Tedi. 'Beth wnawn ni?'

'Twt!' meddai Bimbo. 'Mae'n hawdd iawn, tasech chi ddim ond yn trio bod dipyn bach yn glyfar.'

Roedd Bimbo'n meddwl ei fod yn glyfrach na neb yn y cwpwrdd. Doedd o ddim, chwaith, ond ei fod yn meddwl ei fod.

'O!' Edrychodd y lleill yn syn arno.

'A beth fuasen ni'n wneud, tasen ni'n glyfar?' gofynnodd Bwni Fach.

'Hy!' Cododd Bimbo ar ei draed a sythu fel y byddai'n gwneud pan fyddai'n meddwl ei fod yn dweud rhywbeth clyfar iawn.

'Does dim eisiau ichi wneud dim ond edrych ar ei dafod,' meddai. 'Os yw ei dafod yn ddrwg, mae'r frech goch arno, ond os nad yw'n ddrwg, mae Goli'n ôl-reit. Ydych chi'n gweld? Dim ond bod yn glyfar sydd eisiau ichi.'

'O! Felly!' Trodd Bwni Fach ei thrwyn i fyny. 'Dwyt tithau ddim mor glyfar â hynny chwaith, Bimbo. Dydi bod tafod rhywun yn edrych yn ddrwg ddim yn dweud bod y frech goch arnyn nhw . . .'

Ond torrodd Bimbo ar ei thraws—'Ydi,' meddai.

'Nac ydi,' meddai Bwni Fach.

'Ydi,' meddai Bimbo wedyn.

'Nac ydi,' meddai Bwni Fach.

Ac felly buon nhw am hir iawn,—'Ydi,' 'Nac ydi,' 'Ydi,' 'Nac ydi.' Dydw i ddim yn siŵr na fuasen nhw wrthi hi o hyd yn taeru oni bai i Nyrs Marian ddod yno a dweud wrthyn nhw am beidio â chadw cymaint o sŵn, a bod Wil Wiwer yn cysgu.

'Mae'n gywilydd ichi,' meddai hi. 'Pam na wnewch chi rywbeth, yn lle cadw reiat fel'na?'

'Ond *roedden* ni'n gwneud rhywbeth,' atebodd Bwni Fach. 'Roedden ni'n trio gwybod sut i ddweud pan fydd y frech goch ar ddoli ddu.'

'O!' Edrychodd Nyrs Marian arnyn nhw'n syn. 'O!' meddai hi wedyn, ac edrych ar Goli. 'Rydw i'n gweld.'

'Rydw *i*'n dweud mai eisiau edrych ar ei dafod o sydd,' meddai Bimbo. 'Mae'r peth yn hawdd.'

'Ac rydw innau'n dweud nad ydi o ddim mor hawdd,' meddai Bwni Fach. 'Ond rydych *chi'n* gwybod. Ydi o'n iawn fod y frech goch ar rywun os bydd ei dafod o'n edrych yn ddrwg?'

'Nac ydi,' atebodd Marian.

'Hwrê!' gwaeddodd Bwni Fach.

Ond edrychodd Bimbo'n gas iawn, a mynd i orwedd y tu ôl i'r bocs clai.

'Ond sut mae dweud yn iawn ynte, Marian?' gofynnodd Tedi.

'Wn i ddim.' Edrychodd Marian yn ddigalon iawn. 'Welais i erioed ddyn du a'r frech goch arno, a ddywedodd neb erioed wrtha i sut i ddweud tasai hi arno.'

Wel! Roeddyn nhw mewn mwy o helynt nag erioed wedyn. Os na fedrai Nyrs Marian ddweud, pwy fedrai, yntê?

'Ho! ho!' meddai Bimbo o'r tu ôl i'r bocs. 'Nyrs

Marian ddim yn gwybod pan fydd y frech goch ar ddyn du! Ho! ho!'

'Bydd di'n dawel,' meddai Marian. 'Fedri dithau ddim dweud chwaith.'

Ac roedd hynny'n wir. Fedrai neb ddweud.

Dechreuodd Goli grio dros bob man.

'Beth sy'n bod arnat ti?' gofynnodd Tedi.

'O,' meddai yntau, 'fedr neb ddweud pan fydda i'n sâl. Be wna i? Be wna i?'

'Paid ti â chrio,' meddai Bwni Fach. 'Mi fedra i ddweud.'

Beth? Cododd hyd yn oed Bimbo ar ei eistedd ac edrych arni hi.

'Fedri di?' gofynnodd.

'Medraf,' atebodd hithau.

'O ddifrif?'

'O ddifrif.'

Wedyn, dyna pawb yn dechrau gofyn cwestiynau iddi hi. 'Sut y medri di ddweud?' 'Pwy ddaru dy ddysgu di?' 'Wyt ti'n medru dweud yn iawn bob amser?'

Ond doedd Bwni Fach ddim am ddweud wrthyn nhw.

'Arhoswch chi,' meddai hi, 'ac mi gewch chi weld. Mi ddeuda i pan fydd y frech goch ar Goli.'

Erbyn hynny, roedd Goli wedi mendio'n arw ac wedi sychu ei ddagrau i gyd yn ffrog Nyrs Marian.

'Dyna ti, rŵan,' meddai hithau wrtho. 'Mi fydd Bwni yn siŵr o ddweud pan fyddi di'n sâl. A chofia di ddod â dy wely i'r gongl pan fydd hi'n dweud.'

Doedd Bimbo ddim yn leicio o gwbwl. 'Hy!' meddai. 'Wyddost ti ddim, ond dy fod ti'n cymryd arnat.'

Ond chwerthin ynddi ei hun yr oedd Bwni Fach. A bob bore, dyna lle byddai hi'n holi pawb sut yr oeddyn nhw'n teimlo.

Oeddyn nhw wedi cael annwyd? Oeddyn nhw'n boeth?—a phethau felly. Ac roedd Bimbo'n ceisio ei orau glas i gael gwybod sut i ddweud.

'Mi wn i,' meddai ryw fore. 'Pan fydd y frech goch ar ddyn du, mi fydd ganddo smotiau gwynion ar ei dalcen!'

'Ha! ha! ha!' Chwarddodd Bwni Fach. 'Ti a dy smotiau gwynion!'

'A-a-a-tisho-o-o!' meddai Bimbo. 'Bobol bach! Mae hi'n boeth yma heddiw.'

'Ha!' atebodd Bwni. 'Mi ddweda i rywbeth wrthyt ti, os leici di. Mi fydd y frech goch arnat ti drennydd.'

'Hy!' Edrychodd Bimbo yn gas iawn. 'Pwy wyt ti'n feddwl wyt ti? Does gen i ddim smotiau.'

'Mi fydd gen ti rai drennydd,' meddai Bwni wedyn.

A wir i chi, drennydd roedd gan Bimbo smotiau ac roedd y frech goch arno hefyd.

Roedd yno le garw ar ôl hynny. Pawb yn dweud mor glyfar oedd Bwni Fach a phawb yn chwerthin am ben Bimbo.

Drannoeth, aeth Tedi'n sâl. A doedd yno neb ar ôl ond Goli a Bwni Fach. Roedd y ddau yn unig iawn, ond roedd Bwni'n dal i wylio Goli rhag ofn iddo gael y frech goch.

A ryw ddiwrnod pan oeddyn nhw'n golchi'r llestri, dyna Goli'n tisian dros y lle.

'Helô?' gofynnodd Bwni Fach. 'Wyt ti wedi cael annwyd?'

'Nac ydw i,' atebodd Goli. 'Y pupur yna aeth i fy nhrwyn i.'

Ond dal i disian yr oedd Goli, a gyda'r nos, dyna fo'n dweud ei fod yn boeth iawn.

Ni ddywedodd Bwni ddim am funud. Ond toc, dyna hi'n codi ac yn sefyll o'i flaen. 'Wel!' meddai hi, 'mi fydd yn well iti fynd â dy wely i'r gongl bore fory, achos mi fydd y frech goch arnat ti.'

Ac roedd hi'n iawn hefyd.

Fe geisiodd y lleill gael gwybod bob ffordd sut yr

oedd hi'n gallu dweud. Ond wnâi hi ddim ateb o gwbwl.

Dydw innau ddim yn gwybod chwaith. Hwyrach mai sylwi sut yr oedd y lleill cyn mynd yn sâl yr oedd hi. Hwyrach ei bod hi'n gallu gweld y smotiau, er bod croen Goli yn ddu. Neu hwyrach mai dyfalu yr oedd hi. Wn i ddim, wir. Ond beth bynnag, roedd hi'n glyfar iawn, on'd oedd?

Y noson honno, symudodd Bwni Fach ei gwely i'r gongl at y lleill, a phan ddaeth Nyrs Marian yno dyna lle'r oedd hi.

'Wel,' meddai Nyrs Marian, 'wyt tithau'n sâl hefyd?'

'Ydw,' atebodd hithau. 'Mae'r frech goch arna i.'

'Ond does gen ti ddim smotiau.'

'Mi fydd gen i rai fory.'

Ac roedd ganddi hi rai hefyd. Rhai pinc a rhai cochion. Ar ei thalcen a thu ôl i'w chlustiau, ac ar ei brest.

'Hy!' meddai Bimbo pan welodd o'r smotiau. 'Os wyt ti mor glyfar, pam na fuaset ti'n peidio â chael y frech goch dy hunan?'

Roedd Bwni Fach yn sâl iawn, ond cododd ar ei heistedd yn ei gwely ac edrych ar Bimbo.

'Hwyrach nad oedd arna i ddim eisiau peidio â chael y frech goch,' atebodd.

Wedyn gorweddodd i lawr a rhoddodd ei phen o dan y dillad a chysgu'n sownd am ddau ddiwrnod a hanner. A phan ddeffrôdd hi, roedd hi wedi mendio'n iawn.

NOS DA

Mae'n rhaid inni roddi ffarwél ichi i gyd
  A myned i gysgu yn awr;
Rhaid cau drws y cwpwrdd a cheisio ein gwlâu
  Er mwyn inni dyfu yn fawr.

Mae Ben yn ei wely a Bwni a Jo,
  A Dicw bron cysgu yn llwyr,
A dacw Wil Wiwer yn dweud wrth Jim Bach—
  'Nawr cysga, mae'n hynod o hwyr.'

Mae Neli Wen, hithau, a Marian a Jane
Yn cysgu yn dawel eu tair,
A, wir, dacw Goli yn agor ei geg
A 'Lisabeth hefyd a Mair.

A dacw'r hen Dedi yn dweud wrth gau'r drws,
'Nos da ichi, blantos, yn awr.
Ewch chithau i gysgu yn dawel fel ni
Er mwyn ichi dyfu yn fawr.'